50 SECRETS
POUR MIEUX COMMUNIQUER

Phillip E. Bozek

LES PRESSES DU MANAGEMENT
85, Cours des Roches
77186 NOISIEL

50 SECRETS
POUR MIEUX COMMUNIQUER

Si vous souhaitez être informé de nos publications, il vous suffit de nous envoyer votre carte de visite à l'adresse suivante :

Les Presses du Management,
Service Clientèle, B.P. 307
77443 Marne-la-Vallée Cédex 2

Dessins : **Ralph Mapson**
Illustration couverture : **Jérôme Lo Monaco**
Couverture : **Carol Harris**
Titre original : **50 One-minute Tips For Better Communication**
© Crisp Publications Inc.
Traduction française : **Les Presses du Management 1992**
Traduit de l'américain par **Dominique de Saint-Ours et Max Gorins**
ISBN : 2-87845-117-1
Édition originale
ISBN 1-56052-071-X, Crisp Publications, USA

AVANT-PROPOS

Diriger des réunions et y participer, rédiger des documents et faire des exposés sont quelques-unes des activités de communication les plus importantes. Vous pouvez considérablement améliorer votre réussite personnelle et le succès de votre entreprise en accroissant vos compétences dans ces domaines.

Réunions. Chaque jour, il se tient des milliers de réunions. A cause de l'accent mis sur le management participatif et la prise de décision en équipe, il est plus important que jamais d'être efficace. Et au fur et à mesure que vous progressez dans votre entreprise, vous êtes certain de participer à davantage de réunions, de sorte que vos talents d'animateur et de participant peuvent être les clés de votre réussite à des niveaux élevés. Ce livre vous propose plusieurs stratégies pour améliorer la productivité et le travail d'équipe de vos réunions.

Documents. Des projets et des idées solidement documentés sont essentiels pour la progession de votre entreprise et votre contribution personnelle. De plus, la lecture de documents représente une partie non négligeable des journées de beaucoup de gens. Les meilleurs rédacteurs écrivent pour leurs lecteurs — et ce livre vous offre plusieurs techniques qui non seulement vous aideront à rédiger plus aisément, mais qui aussi rendront vos documents plus agréables à lire.

Exposés. Certains des moments les plus importants de votre carrière peuvent être ceux où vous vous levez pour présenter vos idées à des collègues. L'auditoire associe la qualité de votre technique de présentation à celle de vos idées et de votre identité même de vrai professionnel. Une excellente technique vous aide non seulement à atteindre vos objectifs, mais aussi à améliorer votre crédibilité professionnelle et votre propre estime. Ce livre vous propose plusieurs attitudes et techniques très précises qui vous aideront à organiser et tenir des exposés d'une très haute qualité professionnelle.

La réussite de toute entreprise repose sur les relations, et les relations professionnelles reposent sur une communication claire — laquelle dépend d'objectifs bien clairs, d'un grand soin apporté au message et d'une conscience profonde de l'auditoire — principes qui sous-tendent les trois sections de ce livre. Mon but dans cet ouvrage est de vous donner des idées précises pour permettre à vos communications professionnelles de devenir plus claires et plus efficaces et, ce faisant, de permettre à vos relations professionnelles de devenir plus harmonieuses et plus satisfaisantes.

Phillip E. Bozek

LE LIVRE

Vous pouvez utiliser *"50 Secrets Pour Mieux Communiquer"* de différentes façons, que voici :

- **Une lecture rapide.** Du fait qu'il est organisé en 50 conseils indépendants les uns des autres et que chacun d'eux peut être lu rapidement, ce livre est idéal pour une lecture occasionnelle dans des salles d'attente, les aéroports et tout autre moment libre au cours de la journée.

- **Une vue d'ensemble.** *"50 Secrets Pour Bien Communiquer"* contient plusieurs idées importantes qui forment la base d'une approche générale efficace pour des réunions, documents et exposés. Vous pouvez lire ce livre pour avoir une vue d'ensemble des techniques efficaces à utiliser pour ces trois moyens de communications.

- **Un appendice.** *"50 Secrets Pour Bien Communiquer"* apporte plusieurs idées novatrices en plus des techniques de base et peut donc être utilisé comme un supplément à d'autres ouvrages. Cet ouvrage recoupe en particulier plusieurs autres publications de cette collection où vous pouvez trouver des informations supplémentaires sur certains sujets présentés.

- **Un outil d'étude individuelle.** De nombreux conseils comprennent des exercices d'application pouvant être effectués à votre propre rythme.

- **Une source de formulaires professionnels faciles à utiliser.** *"50 Secrets Pour Bien Communiquer"* contient plusieurs formulaires à remplir qui vous aideront à planifier, tenir et évaluer des réunions, à réfléchir et rédiger des documents et à préparer les aspects essentiels de vos exposés. Vous pouvez reproduire et utiliser ces formulaires selon vos besoins.

- **Un auxiliaire de formation.** Si vous êtes formateur, vous pouvez facilement adapter plusieurs des techniques de ce livre pour améliorer vos cours et vos méthodes.

- **Pré- et post-lecture à des ateliers et séminaires.** Une fois encore, si vous êtes formateur, ce livre vous fournit un excellent matériel de lecture que vous pouvez utiliser en complément de vos ateliers et séminaires.

Vous découvrirez bien d'autres possibilités en lisant ce livre. A vous de jouer !

SOMMAIRE

SOMMAIRE (Suite)

PARTIE 1

17 Secrets pour améliorer vos réunions

AVANT LA RÉUNION

La première question que vous devez vous poser est celle-ci : cette réunion est-elle vraiment nécessaire ? Les secrets 1 et 2 vous aideront à en décider. Si vous maintenez votre réunion, les secrets 3 et 4 vous aideront à la tenir avec succès.

Lecture recommandée : "Animez des Réunions Efficaces".

SECRET N° 1.
PENSEZ
AUX RÉUNIONS
COMME A UN
INVESTISSEMENT

Un jour, vous vous demandez si votre bureau ne pourrait pas avoir un nouveau fax — une dépense relativement importante. Dans votre entreprise, vous n'avez pas besoin de demander l'autorisation de quiconque, ni même d'y penser, il vous suffit de sortir et d'en acheter un, n'est-ce pas ? Faux. Vous devez réfléchir soigneusement avant d'engager de grosses dépenses.

Sauf quand il s'agit de le dépenser en réunions. Certaines sociétés organisent pour un oui ou pour un non des réunions qui durent pendant des heures, mobilisant ainsi pas mal de temps et d'argent — souvent sans même penser à ce que ces réunions coûtent vraiment. Et des réunions, cela peut coûter *très* cher, si l'on considère :

Les salaires. Toute personne qui assiste à une réunion reçoit un salaire pour sa participation.

Les charges sociales. Elles courent elles aussi.

Les coûts induits. Les gens qui assistent à votre réunion ont peut-être été détournés de leurs tâches principales. Comme le dit Peter Drucker, "on participe à des réunions ou on travaille — mais on ne peut pas faire les deux choses en même temps". Cela veut dire qu'à moins que votre réunion soit particulièrement réussie, du temps et de la productivité sont perdus.

En plus de ces coûts, pensez également aux autres facteurs : le coût de la salle, la location ou la dépréciation du matériel audiovisuel, les rafraîchissements, etc. Considérez aussi combien des réunions médiocres, voire même ratées ou inutiles affectent le moral. Harold Reimer, consultant en productivité de réunions, a évalué qu'une société peut dépenser des sommes considérables par personne à cause du "syndrome de récupération des réunions" — le temps que les gens passent à la cafeteria ou autour de la photocopieuse à se plaindre de réunions ratées.

Pour déterminer ce que coûte une réunion habituelle dans votre entreprise et si cela vous coûte plus cher que vous ne le pensez, faites l'exercice de la page suivante.

SECRET N° 1 : EXERCICE

> ## *Exercice :* Payez-vous des amendes pour les réunions de votre entreprise ?

Est-ce que votre entreprise paie des "amendes" — des pénalités financières cachées pour des réunions ratées ? Pour le savoir, pensez à une réunion à laquelle vous avez récemment assisté — à l'une de celles qui n'ont pas semblé très productives. Prenez votre calculette et remplissez le formulaire ci-dessous.

1. Longueur de la réunion (en heures)   1. _____
2. Nombre de participants à la réunion   2. _____
3. **Investissement en heure et par personne :** multipliez la ligne 1 par la ligne 2   3. _____
4. Estimation annuelle du salaire pour un participant moyen   4. _____
5. **Salaire horaire moyen :** divisez la ligne 4 par 2 000   5. _____
6. **Charges :** multipliez la ligne 5 par 5/3   6. _____
7. **Coûts occasionnels supplémentaires** (ce qu'un participant aurait dû rapporter par son travail) : multipliez la ligne 6 par 2   7. _____
8. **Coût total par heure et par personne :** multipliez la ligne 7 par la ligne 1   8. _____
9. **Coût total par personne et par réunion :** multipliez la ligne 8 par la ligne 1   9. _____
10. **Efficacité du personnel :** Parmi tous ceux qui ont assisté à la réunion, combien étaient absolument indispensables ?   10. _____
11. Divisez la ligne 10 par la ligne 2   11. _____
12. **Efficacité horaire :** Combien de temps (en heures) la réunion aurait-elle dû effectivement durer pour atteindre ses objectifs ? Voyez si la réunion a commencé en retard, s'il y a eu des dérapages, etc.   12. _____
13. Divisez la ligne 12 par la ligne 1   13. _____
14. **Efficacité totale de la réunion :** multipliez la ligne 11 par la ligne 13   14. _____
15. **Total des retombées sur l'investissement de la réunion :** multipliez la ligne 9 par la ligne 14   15. _____
16. **Montant de votre amende de réunion :** soustrayez la ligne 15 de la ligne 9   16. _____

La ligne 16 représente l'argent perdu par votre entreprise à chaque réunion classique. Combien perdez-vous chaque année ? Multipliez la ligne 16 par le nombre de réunions que votre entreprise organise au cours de l'année.

Le chiffre peut vous surprendre. Comme vous le voyez, les réunions peuvent coûter très cher. Si vous dépensez plus que vous ne le voulez en réunions, continuez à lire ce livre !

SECRET N° 2.
PENSEZ OBJECTIFS, NON RÉUNIONS

Les réunions sont un aspect important de la vie professionnelle. Mais beaucoup de managers ont le sentiment qu'ils passent beaucoup trop de temps en réunions. Des études ont montré que les cadres commerciaux passent en moyenne 21 heures par semaine en réunions et les directeurs généraux, près de 70 % de leur temps. Les réunions peuvent être des investissements très chers en temps pris aux autres tâches. Avons-nous vraiment besoin d'organiser et de participer à toutes ces réunions pour que l'entreprise marche ?

Peut-être pas. Un des moyens de le savoir consiste à penser objectifs et non réunions. Avant de recourir à une autre réunion, précisez ce que vous voulez réaliser et considérez quelles autres formes de communication pourraient vous faire atteindre vos objectifs. (Rappelez-vous, une réunion est à la base une forme de communication).

Par exemple, voulez-vous obtenir un retour d'information sur une proposition ? Essayez un questionnaire ou passez quelques coups de téléphone. Besoin de transmettre une nouvelle information ? Envisagez l'envoi d'une cassette, une note de service brève ou une affiche en bonne place. Vous voulez de nouvelles idées ? Installez un grand "tableau à graffiti" et demandez des suggestions. Besoin d'en savoir plus sur certains problèmes ? Essayez les entretiens de 10 minutes en tête-à-tête au lieu de passer des heures à discuter avec un groupe.

Cela ne signifie pas que vous deviez annuler toutes les réunions. De bonnes réunions créent de la synergie, elles sont indispensables à des affaires saines. Mais si vous soupçonnez que vous tenez trop de réunions, expérimentez d'autres formes de communication. Si vous pouvez parvenir à certains résultats sans réunions, alors celles que vous organiserez deviendront des événements importants et exceptionnels.

EXERCICE

SECRET N° 2 : EXERCICE

> ### *Exercice :* Être ou ne pas être — en réunion

Directives : répondez aux questions suivantes par un O (oui), un N (non) ou un D (cela dépend). Réponses en bas de page. Faites le compte de vos réponses correctes pour savoir si vos réunions interfèrent avec la productivité.

Devez-vous convoquer une réunion de groupe...

1. _____ Si votre groupe n'est pas préparé à la réunion ?
2. _____ Pour rappeler à l'ordre un ou plusieurs membres du groupe ?
3. _____ Pour faire l'éloge d'un ou plusieurs membres du groupe ?
4. _____ Si vous n'avez pas besoin des apports du groupe ?
5. _____ Pour transmettre des informations routinières ?
6. _____ Pour annoncer quelque chose de très important ?
7. _____ Sur l'inspiration du moment (sans urgence) ?
8. _____ Si vous savez qu'il y a un problème mais dont vous ignorez tout ?
9. _____ Pour cogiter sur de nouvelles idées ?
10. _____ Si le sujet concerne seulement quelques membres du groupe ?
11. _____ Si les participants clés ne sont pas disponibles ?
12. _____ Uniquement parce que vous avez toujours des réunions ?
13. _____ Pour faire accepter une idée ?
14. _____ Pour tisser des liens entre tous les membres du groupe ?
15. _____ Pour avoir l'air de faire quelque chose ?

Score

14-15 :	Vous êtes un gourou de la productivité.
12-13 :	Vous êtes un manager doté d'un très fort potentiel.
10-11 :	Oui... enfin...
9 ou moins :	Je suis heureux que vous lisiez ce livre !

1. Non - 2. Non - 3. Cela dépend. Faire l'éloge d'un membre de l'équipe en public peut être un merveilleux prétexte à une réunion, mais si cela doit embarrasser le bénéficiaire ou irriter les autres membres du groupe. - 4. Non - 5. Non. C'est l'une des raisons les plus courantes pour des réunions inutiles. Envisagez une note. - 6. Non. Les nouvelles importantes, surtout si elles sont mauvaises, doivent être annoncées en tête-à-tête. - 7. Non - 8. Sans doute pas. 9. Oui. C'est l'une des meilleures raisons pour une réunion. - 10. Non. Convoquez plutôt une réunion en petit comité. - 11. Non. Reportez la réunion. - 12. Non. - 13. Oui - 14. Oui, si le groupe est nouveau ou si vous voulez bâtir une équipe dans un but précis. - 15. Non, bien sûr que non. Mais malheureusement, c'est le cas dans certaines entreprises.

Vous n'êtes pas d'accord avec certaines de ces réponses ? Magnifique ! Cela veut dire que vous avez une réflexion critique sur les réunions. Voici un principe de base : n'organisez pas de réunions sans avoir sérieusement réfléchi aux autres possibilités. Pensez objectifs, pas réunions !

SECRET N° 3.
PRÉPAREZ
VOS RÉUNIONS

"Je suppose que vous vous demandez tous pourquoi je vous ai réunis..."

Vous arrive-t-il d'entendre cette phrase au début d'une réunion ? Dans l'affirmative, il y a des chances pour que la réunion qui suit ne soit pas aussi bénéfique qu'elle aurait dû. Pourquoi ? Parce que les participants n'étaient pas préparés.

Une préparation médiocre engendre une réunion médiocre.
Ne pas donner préalablement des informations sur les objectifs et le contenu de la réunion est un facteur important qui provoque inefficacité et manque de productivité. Si les participants ne connaissent pas l'objet de la réunion, ils y viendront sans les informations qui auraient été utiles. S'ils ne connaissent pas les enjeux, ils n'auront pas les bonnes idées. S'ils ne connaissent pas l'ordre du jour de la réunion, ils ne pourront pas s'y tenir et la réunion dérapera.

A moins que, en tant qu'animateur de la réunion, vous ayez de bonnes raisons de faire autrement, transmettez toujours avant, aux participants, au moins les informations suivantes :

• Le but de la réunion

• L'ordre du jour

• Les résultats attendus de la réunion

• Le type d'informations que vous attendez d'eux

• Ce qu'ils peuvent faire pour se préparer

• L'heure à laquelle la réunion commencera et *celle à laquelle elle finira.*

S'il s'agit d'une réunion officielle, avec un ordre du jour écrit, envoyé à l'avance, il sera plus facile de la préparer (Voyez le formulaire "Annonce et ordre du jour de la réunion" de la page suivante). Même si la réunion est un rassemblement impromptu et rapide, accordez aux participants 30 secondes lorsque vous les invitez pour leur expliquer l'enjeu.

Si vous êtes participant, posez des questions !
Tout participant à une réunion doit se sentir responsable de sa réussite. Ainsi, si vous êtes invité à une réunion dont l'objet est flou, intervenez et posez des questions, pour découvrir ce que vous pouvez apporter qui en améliorera le déroulement. Rappelez-vous, c'est aussi votre temps et votre réunion. Réussissez vos réunions, connaissez les enjeux et soyez préparé lorsque vous vous y rendrez.

ANNONCE ET ORDRE DU JOUR DE LA RÉUNION

Réunion convoquée par _____ Tél. _____

Objet(s) _____

_____

Résultats(s) souhaité(s) _____

_____

_____

Date : _____ Lieu _____

Temps prévu		Temps réel		Animateur _____
Début	Fin	Début	Fin	Chronométreur _____
				Rapporteur(s) _____
				_____

PARTICIPANTS ATTENDUS

	Noms	A préparer

ORDRE DU JOUR

	Personne(s) responsable(s)	Sujet/Activité	Durée/Heure

SECRET N° 4.
UTILISEZ L'ENDROIT POUR DONNER L'AMBIANCE DE LA RÉUNION

Des spots voilés éclairent doucement des murs lambrissés, vous vous glissez dans un profond fauteuil de cuir et vous vous inclinez vers l'arrière, presque à l'horizontale. De la musique classique vous entoure. Les poissons dans l'aquarium nagent en silence, bizarrement reflétés dans un miroir au-dessus de votre tête. Mais... Où êtes-vous ?

Réponse : Dans le cabinet de votre dentiste. Aller chez lui peut être une expérience *presque* merveilleuse, parce qu'il a magistralement installé l'ambiance. Bien que vos réunions ne ressemblent pas exactement à l'extraction d'une dent — encore que, parfois... — voyez ce que vous pouvez y apporter en tenant compte des éléments suivants :

Pièces et aménagement : En général, les adultes réagissent bien à des salles de réunions agréables, propres et attrayantes. Venez tôt dans la salle et assurez-vous qu'elle est bien rangée — cela donne à la réunion un sens subliminal de la circonstance. Et puis, quelques plantes et tableaux ou gravures favorisent le confort et la créativité.

Si vous voulez des échanges en face-à-face, utilisez une disposition des sièges en cercle ou en U (voir page suivante). Utilisez un arrangement en arête de poisson ou en salle de classe si vous voulez un groupe plus restreint, plus calme. De longues tables de conférences peuvent créer un sentiment de "nous contre eux". Pour l'atténuer, installez l'animateur de la réunion sur l'un des côtés longs de la table et reculez les sièges pour un meilleur contact visuel de part et d'autre.

Ameublement : Pour stimuler un groupe timide, installez les sièges les uns à côté des autres. Vous pouvez même tenir la réunion dans une salle plus petite pour créer une atmosphère agréable. Si vous voulez réduire la tension dans le groupe, prévoyez des sièges confortables, très espacés. Si vous voulez que la réunion soit très rapide, ne prévoyez pas de sièges du tout. Les réunions debout marchent bien pour des brainstorming de groupe rapides (mais elles ne sont pas pratiques si vous avez beaucoup de choses à voir).

Éclairage : Pour stimuler la pensée créative, ouvrez les rideaux et laissez entrer le paysage et la lumière du soleil. Utilisez un large éclairage fluorescent. Pour obtenir du calme et de la tenue, utilisez un éclairage doux et indirect.

Température : En règle générale, maintenez la température de la pièce entre 18 et 20 degrés. Maintenez-la assez basse pour stimuler le groupe, un peu plus élevée pour calmer le jeu. Mais évitez de dépasser les 22 degrés si vous ne voulez pas que le groupe fasse la sieste...

Agréments : Prévoyez boissons et petites choses à grignoter pour encourager le côté informel et les bavardages.

Détails logistiques : Servez-vous de la liste de contrôle de la salle de réunion de la page suivante pour vérifier que vous avez bien tout ce qui vous est nécessaire. Il suffit parfois d'un petit détail oublié pour que tout se grippe.

ARRANGEMENTS DE LA PIÈCE

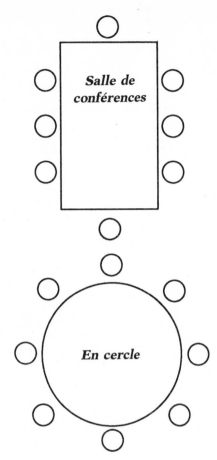

Salle de conférences

En cercle

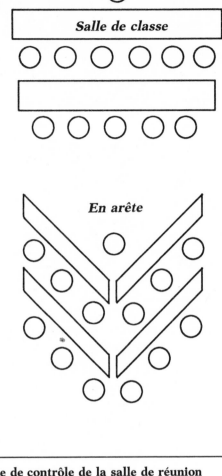

Salle de classe

En arête

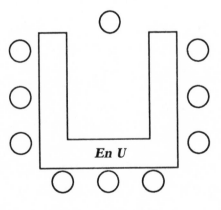

En U

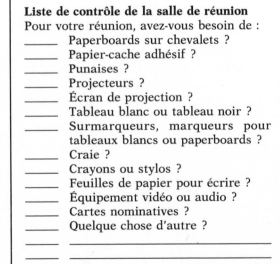

Liste de contrôle de la salle de réunion
Pour votre réunion, avez-vous besoin de :
_____ Paperboards sur chevalets ?
_____ Papier-cache adhésif ?
_____ Punaises ?
_____ Projecteurs ?
_____ Écran de projection ?
_____ Tableau blanc ou tableau noir ?
_____ Surmarqueurs, marqueurs pour tableaux blancs ou paperboards ?
_____ Craie ?
_____ Crayons ou stylos ?
_____ Feuilles de papier pour écrire ?
_____ Équipement vidéo ou audio ?
_____ Cartes nominatives ?
_____ Quelque chose d'autre ?
_____ _____
_____ _____

PENDANT LA RÉUNION

Vous avez fixé la réunion. Maintenant, comment allez-vous faire pour que les gens arrivent à l'heure ? En utilisant la stratégie "de l'heure bizarre" — voir Secret 5. Comment allez-vous conduire la réunion efficacement ? Voir Secrets 6 à 12. Et comment allez-vous conclure la réunion de façon à ce que chacun se sente satisfait ? En laissant à chacun le dernier mot, comme vous l'explique le secret 13.

SECRET N° 5.
UTILISEZ LA STRATÉGIE DE L'HEURE BIZARRE POUR FAIRE RESPECTER LA PONCTUALITÉ

Si vous étiez en train de conduire et que vous voyiez ce panneau, que penseriez-vous ? "Hmmm... c'est bizarre... la police n'est peut-être pas loin. Le panneau est très précis. Je vais ralentir".

De la même façon que ce panneau invite à respecter et à accepter une certaine vitesse, annoncer des réunions avec une heure de début (et de fin) inhabituelle et très précise peut vous aider à bien cadrer les réunions de votre entreprise et à réduire le temps perdu.

Vos réunions commencent-elles "à environ 10 heures", c'est-à-dire avec 10 ou 15 minutes de retard ? Et commencent-elles de plus en plus tard à chaque fois parce que tout le monde sait que les autres vont arriver en retard ? Est-ce que les pauses durent indéfiniment ? Dans ce cas, vous perdez un temps considérable — et peut-être aussi le moral. Pour résoudre ce problème agaçant et onéreux, essayez la stratégie de l'heure bizarre lors de votre prochaine réunion.

Par exemple, au lieu d'annoncer une heure de début à 10 heures, précisez 9 heures 58 ou 10 heures 04. Précisez aussi la fin de la réunion à 10 heures 36 ou 10 heures 43. Si vous accordez des pauses pendant des réunions plus longues, ne dites pas "Arrêtons-nous quelques minutes" ni même "Prenons un quart d'heure". Soyez précis et dites plutôt : "Faisons une pause de 6 minutes et 45 secondes (en outre, des pauses courtes qui reviennent plus souvent — au moins 5 minutes toutes les 90 minutes — sont plus efficaces que des pauses plus longues et plus espacées).

Lorsque vous annoncerez ces intermittences, des participants à la réunion vous demanderont sans doute pourquoi vous êtes si précis. A quoi vous répondrez "Parce que c'est très sérieux. Respectons les horaires de cette réunion". C'est là une des clés principales de la stratégie — vous devez le vouloir. Les réunions doivent commencer *exactement* à l'heure indiquée, même si tous les participants ne sont pas présents (la première fois, c'est probable). Les pauses doivent être exactement aussi longues (ou brèves) que prévu. La réunion doit finir à temps, ou même un peu plus tôt.

Si vous êtes capable de créer un tel précédent, la crédibilité de votre stratégie s'installera rapidement d'elle-même. Vous contribuerez à éviter ces jeux divinatoires et peu rentables auxquels les gens peuvent jouer avec des horaires de réunions ambigus. Les gens arriveront à l'heure et seront prêts à travailler. Et ils ne douteront pas que vos réunions, ainsi que des panneaux de limite de vitesse très précis, sont choses sérieuses.

SECRET N° 6.
UNE PRISE DE NOTES PUBLIQUE ET PAR THÈME

Vous êtes-vous jamais demandé ce que le rapporteur au fond de votre salle de réunion était réellement en train de noter ? Ou vous êtes-vous senti perturbé parce que quelque chose d'essentiel pourrait être passé sous silence ? Après la réunion, avez-vous attendu pendant des jours que les compte-rendus soient distribués, pour découvrir alors qu'ils étaient trop longs, incomplets ou imprécis ? Pire encore, avez-vous redouté de devoir prendre ces notes ?

1. Décisions-clés

Par thème et en public : simple et précis
Si vos réunions souffrent de l'une de ces formes de distorsion, ou si elles ne sont jamais suivies des compte-rendus que vous souhaiteriez, essayez d'employer la technique suivante. C'est très simple : avec votre groupe, choisissez les catégories d'informations qui vous intéressent. Inscrivez-les sur le paperboard, à raison de une par page. Puis demandez à un rapporteur de noter sur le paperboard, devant tout le monde, les contributions apportées à chaque thème. Cette technique présente plusieurs avantages :
• **Un état complet et concis.** Vous ne notez que l'essentiel.
• **La précision.** Tout le monde peut voir ce qui a été noté et repérer immédiatement les erreurs.
• **La focalisation.** Les discussions restent dans le sujet, sans répétitions infinies, parce que tout le monde peut voir dans quelle direction elles s'orientent vraiment.
• **Une meilleure compréhension.** Accords, désaccords et enjeux complexes sont plus facilement clarifiés en les communiquant tout à la fois verbalement et visuellement.
• **Une publication rapide.** Lorsque la réunion est finie, il suffit de faire taper les feuilles du paperboard et de les distribuer. Et voilà, les rapports sont terminés !

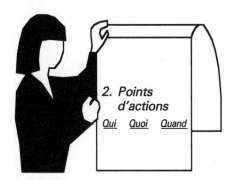

2. Points d'actions

Qui   Quoi   Quand

Quelques suggestions pour l'utilisation de cette technique
1. Considérez les thèmes de "décisions clés" et de "points d'action". C'est peut-être tout ce dont vous avez besoin pour la plupart des réunions. Mais faites toujours coïncider ces thèmes avec les objectifs de la réunion.
2. Encouragez les rapporteurs à noter les mots exacts des participants. Par exemple, ne changez pas "besoin d'une équipe" en "suggestion de formation d'équipe". D'accord pour les abréviations, mais pas pour la paraphrase.
3. Soyez les rapporteurs à tour de rôle, même en cours de réunion.

SECRET N° 7. UTILISEZ DES "ENTONNOIRS" POUR LE BRAINSTORMING DE GROUPE

"L'entonnoir" est une technique de groupe extrêmement utile, empruntée au domaine de la formation. Les formateurs ont besoin que beaucoup d'informations soient échangées rapidement et clairement — c'est le véritable but de toute réunion. Ainsi donc, dans vos réunions, essayez l'entonnoir — vous découvrirez une centaine d'utilisations possibles pour cet outil très souple de réflexion. Voici comment diriger vos exercices d'entonnoir :

ENTONNOIR

Objectif : Identifier et classer par ordre de priorité des listes de besoins, de préoccupations, d'opinions ou d'observations des participants sur un sujet.

Durée : 15 à 35 minutes.

Matériel nécessaire : Paperboards ou transparents, marqueurs, crayons et feuilles de papier pour les participants.

Comment diriger la méthode de l'entonnoir :

A. Préliminaires. Décidez de quels sujets vous voulez que le groupe discute. Dites-lui qu'il va se diviser en petits groupes de réflexion pour générer une liste de préoccupations ou d'observations sur le sujet.

B. Formation des équipes. Divisez les gens en équipes de 2 à 7 personnes (les équipes de 3 à 5 personnes sont les plus efficaces). Demandez à chaque équipe de désigner une personne comme "rapporteur du brainstorming".

C. Génération d'idées. Demandez à chaque équipe de remuer autant d'idées que possible sur le sujet, dans un délai précis (en principe 4 à 7 minutes, tout dépend de la complexité du sujet traité). Encouragez-les à travailler rapidement, sans notion d'évaluation. Le rapporteur note *toutes* les idées.

D. Classement des idées du groupe. Demandez à chaque équipe de choisir 3 ou 4 des meilleures idées dans la liste qu'elles ont établie. Accordez-leur 2 ou 3 minutes seulement.

E. Rassemblement des idées de chaque équipe. Demandez à une équipe l'une de ses trois idées principales. Notez-la sur le paperboard. Demandez à une autre équipe l'une de ses idées et notez-la. Faites ainsi le tour de toutes les équipes, en ne leur demandant qu'une idée à la fois et en ne citant que celles qui n'ont pas encore été suggérées et notées.

F. Présentation des résultats. Annoncez que le paperboard représente les principales priorités du groupe sur le sujet en question.

SECRET N° 8.
UTILISEZ DES "RÉSEAUX RAPIDES" POUR RÉFLÉCHIR SUR DES SUJETS MULTIPLES

"Les réseaux rapides" sont un autre moyen d'insuffler de l'énergie à vos réunions — d'obtenir que les choses soient bien faites et dans la joie. Les réseaux rapides sont une technique de formation et de simplification qui se prête à des réunions de réflexion et de "préoccupations de groupe", particulièrement sur des questions multiples. Elle implique beaucoup de pérégrinations et de créativité organisée et fonctionne au mieux dans des groupes de 8 à 20 personnes.

RÉSEAUX RAPIDES

Objectif : Identifier les besoins, les préoccupations, les opinions ou les observations des participants sur plusieurs sujets.

Durée : 20 à 35 minutes.

Matériel nécessaire : Paperboards ou transparents, marqueurs, crayons et feuilles de papier pour les participants.

Comment diriger des réseaux rapides :

A. Préliminaires. Décidez quelle sorte d'informations vous voulez obtenir du groupe — opinions, idées, attitudes ou autres. Prévoyez autant d'équipes de participants qu'il y a de catégories d'informations à traiter.

B. Formation des équipes. Divisez les participants en autant d'équipes qu'il y a de catégories d'informations. Essayez de former des équipes de 2 à 7 personnes, l'idéal étant des équipes de 3 à 5 personnes. Dites à chaque équipe qu'elle est responsable de rassembler les informations sur son sujet à partir de *tout le groupe.* Dites-leur qu'elles doivent travailler très rapidement.

C. Planification de la session (facultatif). Accordez quelques minutes à chaque équipe pour qu'elle choisisse une stratégie de rassemblement des informations demandées dans tout le groupe.

D. Rassemblement des idées. Commencez la phase de rassemblement des données. Accordez 5 à 10 minutes.

E. Résumé des données. Rappelez les équipes et demandez-leur de se retirer chacune à l'écart, pour traiter les données et construire un résumé sur un transparent ou une feuille de paperboard. Accordez-leur 10 minutes de préparation. Encouragez-les à travailler très vite.

F. Présentation des résultats. Accordez à chaque équipe 1 minute 30 pour présenter ses résultats.

G. Évaluation et distribution des récompenses (facultatif). Demandez à chaque participant de voter pour la meilleure présentation. Comptez les points et annoncez les résultats. Distribuez un prix.

SECRET N° 9.
COMMENT SAVOIR SI LES LEADERS ONT UN COMPORTEMENT EFFICACE

Ce n'est pas parce que quelqu'un porte l'étiquette de leader qu'il en est un. Ce n'est pas parce que l'on donne de l'autorité à quelqu'un qu'il en dispose nécessairement. Le vrai leadership se mérite, il n'est pas préordonné.

Rien de plus vrai. Les vrais meneurs méritent leur leadership, qu'il s'agisse d'un empire ou de la réunion d'une équipe. Alors comment quelqu'un gagne-t-il le statut de leader ? Par la façon dont il ou elle agit dans le groupe. Vous trouverez ci-dessous quelques notes sur des comportements clés pour vous aider à identifier les moyens de gagner, de conserver ou de construire un leadership dans les réunions de votre entreprise.

CE QUE DOIVENT FAIRE LES LEADERS

1. Poser des questions très tôt. Dès le début de la discussion, les leaders naturels ont tendance à solliciter les points de vue des autres membres du groupe, à écouter et à évaluer beaucoup d'opinions.

2. Apporter des contributions fréquentes mais brèves à la discussion. Les leaders placent fréquemment des commentaires, qui ne sont pas nécessairement longs. Ils peuvent faire de rapides suggestions pour orienter ou changer le cours de la discussion — mais leurs commentaires ne dominent pas le temps de parole du groupe.

3. Donner des avis informés et objectifs. Les leaders se préparent sur les sujets traités. Lorsqu'ils donnent leur avis, ils sont bien renseignés et l'expriment avec conviction. Les leaders savent juger impartialement les avis de ceux qui présentent les idées qui ont le plus d'intérêt.

4. Manifester une communication non-verbale et dynamique. Les leaders naturels ont tendance à établir un contact visuel, à user d'une voix forte et bien modulée (par exemple avec beaucoup d'intonations montantes et descendants), de gestes dynamiques, de mouvements du corps et à montrer un visage animé et expressif.

Regardez ces comportements et d'autres chez les leaders que vous admirez. Mettez-les en pratique pour améliorer vos propres talents "naturels" de leadership.

Lecture recommandée : "Devenez Un Leader", même collection.

SECRET N° 10.
DIX DÉCLARATIONS CLÉS
DE LEADERS EFFICACES

Les leaders naturels de réunions contribuent, par des commentaires brefs et fréquents, à orienter le cours de la discussion. Voici une liste de phrases spécifiques que ces leaders utilisent. Lors de votre prochaine réunion, écoutez-les, ou repérez des phrases similaires. Les gens qui les prononcent font probablement beaucoup pour aider (c'est-à-dire diriger) le groupe.

CE QUE DISENT LES LEADERS DANS UNE DISCUSSION

1. "Essayons de..." Ce peut être une suggestion pour que le groupe tente une nouvelle approche, qu'il s'agisse d'un problème ou de la discussion d'un problème.

2. "Qu'en pensez-vous ?" Ou la demande d'une contribution franche, peut-être dirigée vers plusieurs participants.

3. "Ainsi, vous dites que..." Une tentative pour clarifier ce qui vient d'être dit et peut-être pour le relier à un commentaire précédent.

4. "Bonne idée" Les leaders naturels complimentent les autres membres du groupe pour leurs idées et manquent rarement l'occasion de saluer les bonnes initiatives.

5. "Ne sommes-nous pas en train de sortir du sujet ?" Toujours vigilant pour éviter les digressions inutiles, le leader demande au groupe de l'aider plutôt que de formuler des exigences.

6. "Soyez gentil" (ou **"Soyez équitable"** ou **"Calmez-vous"**). Une tentative pour encourager la diplomatie ou pour protéger un membre du groupe d'une attaque brutale d'un autre membre.

7. "Vous d'abord, et vous ensuite" Les leaders naturels aident à maintenir l'ordre dans des discussions enthousiastes en s'assurant que tout le monde pourra se faire entendre.

8. "Alors, qu'avons-nous décidé ?" Pendant la réunion et à la fin de la réunion, résumer périodiquement ce qui vient d'être dit est essentiel pour établir une communication claire et productive.

9. "Alors, qui va faire quoi et quand ?" Si aucune action spécifique n'est entreprise à l'issue d'une réunion, à quoi celle-ci aura-t-elle servi ?

10. "..." Le silence est l'une des responsabilités les plus importantes d'un bon leader de réunion. Pour être efficace, contrôlez votre propre temps de parole et permettez à tous les participants de s'exprimer également. Surtout si vous supervisez d'autres personnes, faites attention à ne pas dominer la discussion.

SECRET N° 11.
UTILISEZ UN SIGNAL
POUR REVENIR
SUR LE SUJET

La réunion s'éternise telle une tragédie de 2ᵉ ordre. Les personnages jouent leurs rôles habituels : Monsieur Traine part dans de longs discours sur des questions pourtant simples ; Monsieur Moi ne tient aucun compte de l'ordre du jour et ne parle que de ce qui l'intéresse ; Monsieur Marcherapas interrompt sans cesse pour critiquer toute idée nouvelle. Ces orateurs indisciplinés sont peut-être animés de bonnes intentions, mais leurs interventions ont des conséquences négatives : les heures passent et la réunion s'égare.

Dans une réunion typique, le groupe ne passera que 36 minutes par heure sur le sujet à débattre — avec pour résultat que des réunions "d'une heure" dureront en fait 82 minutes, ce qui bouleverse l'horaire, fait perdre du temps et de l'argent et sape le moral du groupe.

Voici comment aborder rapidement mais en douceur le problème des conversations qui dérapent : lorsque la réunion commence, proposez un signal que les membres du groupe pourront utiliser pour arrêter les commentaires verbeux ou hors sujet. Essayez un signal d'arbitre comme un carton jaune. Ou bien apportez de vieux 45 tours rayés pour récompenser ceux qui se répètent, des balles de mousse à lancer, ou des mouchoirs blancs que vous agitez lorsque le groupe "lâche" un orateur. Ou bien achetez un petit taureau de plastique dont vous vous servez comme le trophée du hors propos.

Mais pour que de tels signaux fonctionnent, il faut que le leader de la réunion et tous les membres du groupe adoptent un ton démocratique et soient également volontaires pour recevoir comme pour infliger ces rappels à l'ordre. Si votre groupe est capable d'adapter un tel signal, vous aiderez tout le monde à rester sur les rails et votre réunion sera efficace.

SECRET N° 12.
MAITRISEZ LE "VOL DE RÉUNION"

Le "vol de réunion" est un comportement qui vole du temps, de la productivité, ou de la bonne volonté aux réunions — des comportements tels que trop parler ou critiquer trop vite, ou faire des apartés, faire trop de plaisanteries ou raconter trop d'histoires sans rapport, ou toujours arriver en retard ou sans préparation. Dans la mesure où ces comportements déprécient les réunions, on peut les considérer comme une forme de vol professionnel.

Et pourtant, les coupables eux-mêmes méritent d'être traités avec gentillesse et diplomatie, pour une excellente raison : la plupart des "voleurs de réunions" sont des gens bien intentionnés et totalement inconscients de leur comportement néfaste. (Cette appréciation charitable n'est pas toujours exacte, mais il est généralement plus sage de présumer l'innocence).

Usez de la méthode suivante
Voici une technique orale que les leaders de réunions ou les autres participants peuvent employer pour transformer un vol en une action plus productive :
> **Affrontez** le problème directement.
> **Remerciez** la personne pour ses bonnes intentions.
> **Suggérez** un nouveau comportement.
> **Essayez encore,** peut-être en modifiant ou en intensifiant votre approche.

Supposez par exemple que Michel Durand — appelons-le Michel — raconte sans cesse des plaisanteries. Michel est drôle, mais il fait déraper la réunion. Pour le rappeler à l'ordre,
> **Remerciez.** "D'abord, vos plaisanteries sont bonnes..."
> **Suggérez.** "... et pourtant, je ne sais toujours pas ce que vous pensez vraiment de cette question. Sérieusement, pouvez-vous nous dire ce que vous préconisez ?"
> **Essayez encore.** S'il persiste, vous devez peut-être vous montrer plus énergique : "Michel, cela suffit maintenant. Nous nous sommes bien amusés. Mais venons-en au fait".

Si ces interventions publiques ne marchent toujours pas, demandez à Michel si vous pouvez lui parler pendant une pause. En privé, dites-lui que vous le voyez faire, comment vous interprétez ses actes, comment vous les percevez et ce que vous attendez de lui. Soyez péremptoire et plus ferme qu'en public.

Et tandis que vous reprenez gentiment Michel en public et plus fermement en privé, assurez-vous de bien contrôler tous les "vols", sans pour autant embarrasser l'assistance. Et n'oubliez pas que les leaders de réunions ne sont pas les seuls à contrôler ces vols. Tout participant à la réunion devrait prendre la responsabilité de bien se tenir et bien maintenir les autres dans le droit chemin pour rester dans le sujet et être productif.

SECRET N° 12 : EXERCICE

Exercice : Expérimenter la technique

Pour chaque détournement de réunion énuméré dans la colonne de gauche, pensez à ce que vous diriez pour affronter le problème, remercier la personne, suggérer un nouveau comportement et essayer encore avec un effort plus appuyé. Dans la case vide en bas de la colonne, ajoutez un autre détournement que vous avez pu constater dans votre entreprise.

Pensez soigneusement aux mots précis que vous emploieriez. Rappelez-vous, gentillesse et diplomatie sont aussi importantes que la clarté et la fermeté.

TYPE DE VOL	AFFRONTER	REMERCIER	SUGGÉRER	ESSAYER ENCORE
Retard chronique aux réunions				
Ne prend pas part aux discussions				
Donne trop de détails				
A des apartés				
Critique les idées des autres trop tôt ou trop sévèrement				
Monopolise la discussion				

SECRET N° 13.
LAISSEZ UN DERNIER MOT
A CHAQUE PARTICIPANT

Un bon moyen de conclure une réunion avec un sentiment de satisfaction et du travail bien fait consiste à demander à chaque participant un dernier mot — un bref commentaire final, une observation ou un engagement.

Comment les derniers mots profitent au groupe

Cette technique de discussion présente plusieurs avantages. Cette méthode du dernier mot peut :

• *Assurer une participation totale.* Même si quelqu'un est resté muet pendant presque toute la réunion, le dernier mot vous assure que tout le monde aura parlé au moins une fois.

• *Réduire le potentiel de ressentiment* ou de problèmes non évoqués. Tout le monde est encouragé à apporter un commentaire et les points de vue minoritaires sont écoutés attentivement.

• *Réduire l'éventualité de "le groupe pense que...".* Si le groupe est parvenu à une décision médiocre ou s'il pense qu'il est arrivé à un consensus alors que c'est faux, le dernier mot donne une dernière chance à chacun de mettre le doigt sur ces échecs.

• *Favoriser l'engagement dans les décisions du groupe.* Les commentaires de fin ont tendance à être optimistes. Ils contribuent à souder et à motiver l'équipe.

• *Résumer la réunion.* Surtout dans les réunions de formation, des participants qui donnent un dernier mot ont tendance à résumer les points clés de la discussion.

Quelques suggestions pour employer le dernier mot

• *L'annoncer.* Dites aux participants que vous allez solliciter leur avis.

• *Demander à tout le monde d'apporter sa contribution.* Le dernier mot est plus efficace si tout le monde prend la parole, et pas seulement ceux qui ont dominé toute la discussion.

• *Encourager la franchise.*

• *Envisager de demander un dernier mot spécifique.* Vous pouvez demander aux participants quelles décisions ils préfèrent ou quelles actions ils entreprendront à la suite de la réunion.

• *Limiter la longueur des commentaires.* 30 secondes maximum par personne, c'est parfait.

• *Écouter soigneusement.* Insistez pour que tous les commentaires soient écoutés attentivement. Remerciez chacun pour sa contribution et son commentaire.

• *Employer aussi le dernier mot* pendant *les réunions.* Cette technique vous permettra de conclure une question à l'ordre du jour avant de passer à la suivante.

APRÈS LA RÉUNION

Que reste-t-il à faire une fois la réunion terminée ? A l'évaluer. Le secret n° 14 donne deux moyens d'y parvenir.

Les secrets 15 et 16 vous indiquent quelques stratégies pour tenir des réunions informelles et des réunions en tête-à-tête, particulièrement avec votre patron.

Et pour en finir avec la section des réunions, le secret n° 17 vous dit en détail comment tenir les *pires* réunions du monde !

SECRET N° 14.
ÉVALUEZ LES RÉUNIONS
POUR ASSURER LEUR PRODUCTIVITÉ

> *"Ce que l'on ne surveille pas se détériore très vite".*
> Dwight D. Eisenhower

Les réunions sont une partie importante de la plupart des activités des entreprises et donc une responsabilité significative pour beaucoup de professionnels. Cependant, rares sont les entreprises qui procèdent à une évaluation de leurs réunions, même si ces entreprises peuvent se montrer méticuleuses dans l'évaluation des autres résultats.

Pour vous assurer que vos réunions de groupe sont aussi productives que possible et pour éviter la détérioration prédite par le Président Einsenhower, vérifiez bien que vous évaluez vos réunions. Il n'est pas besoin de chercher un retour d'information sur chaque réunion, surtout si votre groupe se rencontre régulièrement. Une évaluation toutes les trois ou quatre réunions suffit largement pour contrôler la qualité.

Utilisez un formulaire ouvert/fermé comme celui de cette page, ou le formulaire plus spécifique de la page suivante. Vous avez toute liberté de les reproduire pour un usage ultérieur.

ÉVALUATION DE RÉUNION

A L'ATTENTION DE :

DE LA PART DE :

DATE :

SUJET : Évaluation de réunion

       Date :

       Titre/Objet de la réunion :

1. Ce qui a bien marché dans cette réunion :

2. Suggestions pour la prochaine réunion :

ÉVALUATION DE RÉUNION

A L'ATTENTION DE :

DE LA PART DE :

DATE :

SUJET : Évaluation de réunion

      Date :

      Titre/Objet de la réunion

	Excellent	Bon	Moyen	Médiocre
1. Horaire	4	3	2	1
2. Clarté des objectifs de la réunion	4	3	2	1
3. Clarté de l'ordre du jour	4	3	2	1
4. Salle de réunion	4	3	2	1
5. Rapidité de démarrage de la réunion	4	3	2	1
6. Rapidité de la clôture de la réunion	4	3	2	1
7. Couverture de l'ordre du jour	4	3	2	1
8. Maintien de la réunion sur son sujet	4	3	2	1
9. Clarté des décisions de la réunion	4	3	2	1
10. Clarté des plans d'action	4	3	2	1
11. Accomplissement des objectifs fixés à l'origine	4	3	2	1
12. Présentation de l'animateur	4	3	2	1
13. Autres présentations	4	3	2	1
14. Qualité de la préparation des participants	4	3	2	1
15. Qualité de la participation	4	3	2	1
16. Efficacité générale de la réunion	4	3	2	1

17. _____

18. _____

19. _____

20. _____

Commentaires et suggestions supplémentaires :

SECRET N° 15.
STRATÉGIES RAPIDES
POUR LES RÉUNIONS INFORMELLES

Beaucoup de réunions sont des réunions informelles ou "ad hoc", convoquées rapidement et tenues sans ordre du jour écrit. Bien qu'il soit impossible de planifier de telles réunions en détail, beaucoup de choses peuvent être faites pour leur assurer le maximum d'efficacité :

• *Considérez votre objectif* avant de convoquer une réunion. Êtes-vous sûr que vous avez besoin d'une réunion ? Est-ce qu'une note de service ou quelques appels téléphoniques ne feraient pas aussi bien l'affaire ?

• *Informez les participants* de l'objet de la réunion et dites-leur ce qu'ils doivent faire auparavant. Si vous êtes participant, demandez-le.

• *Précisez les horaires de début et de fin de réunion.*

• *Limitez l'ordre du jour.* Vous progresserez davantage sur un nombre limité de sujets que s'il y en a beaucoup.

• *Commencez à l'heure.*

• *Annoncez l'ordre du jour* dès le début de la réunion. Inscrivez-le sur une feuille de paperboard.

• *Maîtrisez les digressions.*

• *Exprimez-vous avec concision* et invitez les autres à en faire autant.

• *Établissez un climat ouvert,* dépourvu de toute critique.

• *Restez vigilant sur l'ordre du jour et l'horaire.* Rappelez à vos collègues (et à vous-même) que vous devez rester dans le sujet et dans les temps.

• *Accordez des pauses.* Essayez les pauses courtes, fréquentes, à des heures précises, au lieu de pauses vaguement programmées, plus longues et moins fréquentes.

• *Résumez périodiquement* les acquis de la réunion.

• *Clarifiez les décisions clés et les actions à entreprendre* à la fin de la réunion. Précisez qui est d'accord pour faire quoi et quand.

• *Terminez à l'heure* — ou même un peu avant.

SECRET N° 16.
STRATÉGIES RAPIDES
POUR DES ENTRETIENS EN TÊTE-A-TÊTE

Demandez et planifiez des entretiens réguliers en tête-à-tête avec votre patron.
Bien que les réunions "ad hoc" soient utiles, ne dépendez pas d'elles pour
tous les échanges vitaux qui sont la vie d'une entreprise. Programmez plutôt
des entretiens en tête-à-tête avec votre patron sur une base régulière, pour
remplacer certaines réunions "ad hoc". Vous obtiendrez davantage tous les
deux.

Prévoyez-les courts et maintenez-les courts. Une trentaine de minutes par
semaine est peut-être tout ce dont vous avez besoin si vous vous êtes organisé avant et pendant la réunion.

Faites-en "votre réunion". Obtenez de votre patron que vous fixiez vous-même
l'ordre du jour de cette réunion. Ses problèmes sont importants, mais conve-
nez de les réserver pour des réunions de groupe ou au moins pour une autre
réunion. Faites de cette réunion "votre" réunion.

Suivez un ordre du jour fixé selon des priorités. Tenez-le prêt et à disposition. Discutez d'abord des questions les plus importantes. N'essayez pas
d'aborder trop de sujets : rappelez-vous, on progresse mieux sur quelques
questions que si elles sont trop nombreuses.

Apportez des solutions, pas seulement des problèmes. Donnez des descrip-
tions claires des problèmes et des questions auxquels vous devez faire face
— et apportez aussi votre meilleure solution, vos meilleurs choix pour des
solutions différentes, ou au moins vos critères pour ce qui serait, à votre avis,
la meilleure solution. En bref, aidez votre patron à répondre à vos questions.

Exprimez-vous avec concision. Allez à l'essentiel. Donnez une vue générale,
pas les détails — à moins qu'ils ne soient absolument essentiels ou que votre
patron ne les demande. N'oubliez pas que le patron s'occupe des grandes
lignes, pas des détails.

Écoutez attentivement. Bien écouter est la clé de toute communication.

Faites un résumé à la fin de la réunion. Reconfirmez les décisions que vous
avez prises avec votre patron, ou qui sont supposées l'être. Faites un compte-
rendu de ces décisions clés et des plans d'actions.

Encouragez vos subordonnés à programmer "leurs réunions" avec vous.
Laissez-les exprimer leur ordre du jour, comme vous le faites avec votre supé-
rieur. Et lors de leurs réunions, écoutez plus que vous ne parlez.

SECRET N° 17.
COMMENT ÉVITER LES *PIRES* RÉUNIONS DU MONDE

AVANT LA RÉUNION

1. Convoquer des réunions pour n'importe quoi. N'imaginez même pas qu'une note de service ou quelques coups de téléphone pourraient les remplacer. Règle générale : organisez autant de réunions que possible.

2. Invitez tout le monde à toutes les réunions. Puis arrangez-vous pour que tout le monde assiste à la totalité de la réunion, même si certaines parties de la discussion ne concernent que quelques personnes.

3. Ne dites à personne l'objet de la réunion. De cette façon, vous pouvez commencer par "Je suppose que vous vous demandez tous pourquoi je vous ai convoqués à cette réunion..."

4. N'établissez pas d'ordre du jour. Ou si vous le faites, ne le distribuez pas avant. Surprise, surprise !

5. Ne vous préoccupez pas de la salle de réunion. Laissez les meubles, les fournitures et le matériel audiovisuel prendre soin d'eux-mêmes. Supposez que les autres apporteront tout ce dont ils ont besoin. Et si vous finissez par avoir besoin de quelque chose qu'ils n'ont pas, vous pourrez toujours improviser.

6. Arrivez en retard. De cette façon, vous aurez l'air occupé. Et puis tout le monde sait bien que "10 heures", cela veut dire en réalité "10 heures 20".

PENDANT LA RÉUNION

7. Essayez d'aborder au moins 10 à 12 questions importantes dans toute réunion. Submergez le groupe chaque fois que vous le pouvez.

8. Dominez le débat. C'est particulièrement efficace si vous êtes le patron. Et même si vous ne l'êtes pas, essayez de parler le plus possible de tout ce que vous voulez. Ignorez les idées des autres.

9. Dites souvent "oui, mais". Une technique éprouvée pour arrêter net toute idée "créative" d'un nouveau genre qui empiète sur votre temps de parole.

10. Usez du sarcasme. Si "oui, mais" ne marche pas, essayez d'interrompre en ridiculisant. Faites beaucoup de grimaces, croisez les bras et regardez au loin. Si vous êtes très sûr de vous, essayez de lever la voix et de perdre votre calme — cela agit comme un charme.

11. Faites des apartés. N'ayez pas peur, toute réunion est une excellente occasion d'apprendre le dernier potin.

12. Ne dites rien. Si vous n'avez pas envie d'interrompre, contentez-vous de rester silencieux pendant toute la durée de la réunion. Faites des mots croisés pour passer le temps. Évitez tout contact visuel.

13. Laissez aller les choses. Si quelque chose va mal pendant la réunion, ne vous y arrêtez pas. Laissez quelqu'un d'autre en prendre la responsabilité. Protégez-vous de tous les côtés.

14. Laissez filer la réunion. Ne vous inquiétez pas si vous avez dépassé l'horaire initialement prévu. Plus la réunion est longue et meilleure elle est. Soyez brave et continuez. Si possible, évitez les pauses.

SECRET N° 17 (Suite)

SUIVI DE LA RÉUNION

15. Ne prenez jamais de notes. Ou si vous y êtes obligé, ne vous pressez pas de les distribuer.

16. Évitez les résumés. A la fin d'une réunion, ne demandez jamais "Qu'avons-nous décidé ?" ou "Qui va faire quoi ?". Vous travaillez avec des gens intelligents — ils le comprendront très bien.

17. N'évaluez jamais vos réunions. Elles sont probablement parfaites. Et d'ailleurs, que voulez-vous vraiment savoir ?

BONNE CHANCE !

PARTIE 2

16 Secrets pour bien écrire

POUR COMMENCER

Le secret n° 18 vous propose un test rapide pour évaluer votre efficacité rédactionnelle. Les secrets 19 et 20 vous montrent comment rédiger en pensant à vos lecteurs.

Une fois que vous avez commencé à écrire, l'étape suivante consiste à devenir créatif. Les secrets 21 à 24 vous présentent deux techniques majeures pour stimuler votre créativité : le brainstorming et la méthode dite "en essaim". Avez-vous jamais pensé à rédiger une note sous forme d'essaim ? Voyez le secret n° 23.

SECRET N° 18.
RÉDIGEZ-VOUS AVEC EFFICACITÉ ?

Pour découvrir si vous rédigez efficacement, répondez aux questions ci-dessous, qui concernent les méthodes que vous employez lorsque vous rédigez des notes, des lettres ou des rapports professionnels. Dans la colonne de droite, entourez le mot qui décrit au mieux votre approche des questions de la colonne de gauche. Travaillez rapidement. Si vous pensez qu'une question ne vous concerne pas, répondez par "quelquefois". Évaluation du score page suivante.

A : toujours ; B : souvent ; C : quelquefois ; D : rarement ; E : jamais.

	A	B	C	D	E
1. Avant de commencer à écrire quoi que ce soit, je me demande pourquoi je veux écrire ce document.	A	B	C	D	E
2. Avant d'écrire, je me pose plusieurs questions sur les lecteurs du document.	A	B	C	D	E
3. J'essaie de rédiger parfaitement mes documents dès le premier jet.	A	B	C	D	E
4. En écrivant, si j'orthographie mal un mot ou si ma phrase est bancale, je m'arrête et je corrige immédiatement.	A	B	C	D	E
5. Avant d'écrire, je réfléchis et je note rapidement mes idées, quelquefois de façons désordonnées.	A	B	C	D	E
6. En faisant le plan de mon document, je fais un effort particulier pour rassembler au même endroit toutes mes demandes d'action de la part du lecteur.	A	B	C	D	E
7. Pour mes lecteurs, je résume mes idées dans une section prévue à cet effet et clairement indiquée.	A	B	C	D	E
8. Je mets autant d'informations que possible dans le minimum de pages.	A	B	C	D	E
9. En rédigeant, j'utilise des pronoms personnels (je, moi, nous, vous).	A	B	C	D	E
10. Je mets autant d'informations que possible dans le minimum de pages.	A	B	C	D	E
11. Pour écrire, je m'inspire de la mise en page de modèles déjà rédigés.	A	B	C	D	E
12. Quand je relis mes documents, j'essaie de ne les regarder qu'une seule fois.	A	B	C	D	E

SECRET N° 18 (Suite)

Instructions pour l'évaluation du score. Pour savoir où vous vous situez d'après ce questionnaire, comptez le nombre de réponses que vous avez entourées dans chaque colonne de la partie droite de la page. Puis multipliez ces chiffres par le nombre indiqué dans la colonne "multiplicateur" et inscrivez le résultat dans la colonne "sous total". Puis additionnez ces sous-totaux pour obtenir le score général.

Colonne	Nbre de réponses	Multiplicateur	Sous-total
A	———	×5	———
B	———	×4	———
C	———	×3	———
D	———	×2	———
E	———	×1	
		TOTAL :	———

Score	Évaluation
53 à 60	**Gourou de la productivité rédactionnelle.** Vous avez des habitudes d'écritures très efficaces. A bientôt sur la liste des best-sellers.
45 à 52	**Très au point.** Vous aimez écrire, n'est-ce pas ?
36 à 44	**Rédacteur moyen.** Vous écrivez bien, mais certaines de vos habitudes vous freinent ou diminuent la qualité de votre travail.
27 à 35	**Sur la bonne voie.** Pensez seulement combien vous aimerez encore plus écrire après avoir essayé certaines techniques de ce livre !
12 à 36	**Future star.** Rappelez-vous, les problèmes sont des opportunités !
0 à 11	**Impossible.** Vous avez dû faire une erreur dans vos calculs. Recommencez.

1. Toujours. Si vous ne savez pas exactement quels sont vos objectifs, vous ne pouvez pas les atteindre. - 2. Toujours. S'adapter aux besoins des lecteurs est l'un des talents d'écriture les plus importants. - 3. Jamais. Commencez par transcrire le cours de vos réflexions. Le polissage viendra plus tard. - 4. Jamais ou rarement. Identifiez simplement les problèmes et continuez à écrire. - 5. Toujours (voir les réponses 3 et 4). - 6. Toujours ou souvent. Dans la plupart des notes les suggestions d'action sont ce que les lecteurs cherchent vraiment. Pour aider vos lecteurs à repérer les actions que vous demandez, groupez-les sous un intitulé. - 7. Toujours ou souvent. Supposez que vos lecteurs n'aient que 10 secondes pour lire votre note : recevront-ils votre message ? - 8. Toujours ou souvent. Même sur des documents d'une seule page, les titres facilitent la lecture. - 9. Toujours ou souvent. Les pronoms personnels précisent qui doit faire quoi. - 10. Jamais ou rarement. Mieux vaut donner à un lecteur deux pages faciles à lire, plutôt qu'une seule, difficile à déchiffrer. - 11. Toujours ou souvent. Pourquoi pas ? En affaires, il est essentiel d'utiliser et d'améliorer les bonnes idées des autres, à condition de rendre à César ce qui est à César. - 12. Jamais ou rarement. Relisez deux ou trois fois rapidement, en vérifiant d'abord le modèle et la présentation, puis la précision et enfin, les détails.

SECRET N° 19. POSEZ-VOUS LES QUESTIONS AVANT DE DONNER LES RÉPONSES

Abraham Lincoln a dit un jour : "Lorsque je m'apprête à raisonner avec quelqu'un, je passe un tiers du temps à penser à ce que je vais dire et les deux autres tiers à penser à ce que lui va dire". Une méthode similaire doit être intégrée à une bonne écriture. Pensez soigneusement à ce que vous prévoyez de dire et passez un peu plus de temps à penser aux gens auxquels vous allez vous adresser.

Planifier fait gagner du temps et économise des efforts

Planifier avant d'écrire vous rendra la tâche moins difficile. Et vous gagnerez vraiment du temps, car certaines des décisions que vous inscrirez pendant le processus de planification peuvent se retrouver mot pour mot dans les déclarations-clés de votre note finale.

Adapter le formulaire de la page suivante

Sur la page suivante, un formulaire présente une liste de quelques questions clés que vous devez vous poser avant d'écrire. Pour des documents courts et moins complexes, vous n'aurez besoin que de quelques-unes de ces questions. Pour des documents longs, plus complexes ou plus importants, il vous faut répondre à toutes les questions et même en rajouter d'autres, pour que votre document couvre vos besoins précis. Vous êtes tout à fait libre de reproduire et d'adapter ce formulaire pour planifier vos prochains documents.

Planifier par écrit

Planifier toujours *par écrit*, pas seulement dans votre tête. Si vous notez vos projets, non seulement vous vous les rappelerez plus clairement — mais vous serez aussi moins susceptible d'être bloqué en en faisant trop en même temps. Vous pouvez utiliser le formulaire pour clarifier les missions que vous ont attribuées vos supérieurs. Et vous verrez qu'il vous sera plus facile de retrouver le fil de vos idées si vous êtes distrait.

FORMULAIRE DE PLANIFICATION DE DOCUMENT

1. _____

2. Objectifs généraux du document : Pour informer _____ , pour persuader _____ , pour réfléchir _____ .

3. Objectif(s) spécifique(s) : Pour _____
_____

4. Longueur approximative du document : _____

5. Date prévue d'achèvement : _____

6. Sources d'informations préalables : _____
_____

7. Notes sur la forme du document (paragraphes ou liste ? Rapport ou note ? Y compris tableaux et graphiques ? Modèles déjà réussis ? etc.) : _____
_____

8. Le point principal que le lecteur connaîtra après avoir lu le document est : _____
_____

9. Qui sont les lecteurs du document ? _____
_____

10. Parmi tous les lecteurs du document, la personne la plus essentielle pour les objectifs de ce document est : _____
_____
_____

Mon estimation des lecteurs est :

Je vais donc :

11. La connaissance des lecteurs du sujet et de la terminologie technique est : haute _____ , basse _____ , quelconque _____ , inconnue _____

11. _____
_____

12. La bonne volonté des lecteurs d'accepter les idées que je présente est : haute _____ , basse _____ , mitigée _____ , inconnue _____

12. _____
_____

13. L'opinion des lecteurs sur moi ou sur mes précédents travaux est : haute _____ , piètre _____ , mitigée _____ , inconnue _____

13. _____
_____

14. Après avoir lu le document, la ou les actions que je veux voir entreprendre par mes lecteurs sont : _____
_____

14. _____
_____

15. Les lecteurs ont les besoins ou soucis particuliers suivants :
_____

15. _____
_____

SECRET N° 20.
ÉVITEZ "L'ILLUSION DU SPÉCIALISTE"

Lorsque vous planifiez et rédigez un document professionnel quelconque, prenez grand soin d'éviter un phénomène considéré comme mortel pour la clarté de nombreuses lettres, rapports et notes de services : l'illusion du spécialiste — la croyance erronée que vos lecteurs sont (ou devraient être) aussi intéressés que vous par votre sujet.

Comment reconnaître l'illusion du spécialiste

Les rédacteurs qui souffrent de cette maladie supposent que leurs lecteurs :

- Sont des spécialistes de la question traitée dans le document.
- Vont lire chaque mot du document.
- Sauront quelles actions entreprendre après lecture du document.

A partir de ces suppositions, les rédacteurs produisent des documents qui :

- Sont trop longs.
- Contiennent trop de détails techniques.
- Abusent d'un jargon technique ou de termes spéciaux.
- Ne précisent pas clairement les actions requises.
- Doivent être entièrement lus par leurs destinataires pour découvrir les points clés.

Des documents rédigés de cette manière peuvent être mal compris. Pire, ils peuvent ne pas être lus, partiellement ou même pas du tout. Tout cela peut entraîner une perte de productivité, un manque de communication et de confiance.

Où naît l'illusion ?

L'illusion du spécialiste provient du fait que ceux qui écrivent perçoivent mal leurs lecteurs. Quelquefois, un rédacteur manifestera une sorte de snobisme intellectuel ("S'ils ne comprennent pas ce rapport, c'est de leur faute. Je vais les obliger à lire chaque mot. Peut-être apprendront-ils quelque chose !"). Plus souvent, les rédacteurs sous-estiment leurs propres réalisations en tant que spécialistes ("Que voulez-vous dire par "ce rapport comporte trop de jargon" ? C'est pourtant simple — si moi je peux le comprendre, c'est à la portée de tout le monde".)

COMMENT ÉVITER L'ILLUSION DU SPÉCIALISTE

- Faites une évaluation de vos propres réalisations. N'oubliez pas, vous êtes un spécialiste — la plupart des professionnels d'aujourd'hui le sont. Beaucoup de vos lecteurs ne connaissent pas votre sujet aussi bien que vous, alors mettez-vous à leur portée.

- Pensez soigneusement aux objectifs que vous recherchez avec votre document et à la nature de vos lecteurs.

- Pensez : Qu'est-ce que les lecteurs ont vraiment *besoin* de savoir ? Que serait-il *bien* qu'ils connaissent ?

- Rédigez dans une langue directe. Évitez autant que possible le langage et le jargon techniques.

- Supprimez les informations inutiles — ou mettez-les en annexe pour les lecteurs qui veulent avoir plus de détails.

- Utilisez des titres pour faciliter une lecture rapide.

- Donnez un sommaire rédigé en termes courants.

- Regroupez vos demandes d'action dans une section facile à trouver dans le document et donnez-lui un titre.

SECRET N° 21.
REMUEZ D'ABORD VOS IDÉES, ORGANISEZ-LES ENSUITE

Supposez que vous soyez dans un groupe qui se réunit pour planifier le prochain pique-nique de la société. Tout le monde lance des idées à la ronde. Jeanne dit "Et si on prenait un thème des Mers du Sud ?" Bernard répond aussitôt "C'est ridicule". Qu'arrive-t-il à Jeanne ? Elle est gênée et se tait — et ne propose plus rien. Le commentaire de Bernard a coupé court au processus et entravé probablement aussi la spontanéité des autres.

Critiquer trop tôt tue le processus créatif

Rares sont ceux d'entre nous qui se montreraient aussi brutaux que Bernard. Nous ne serions pas aussi cruels avec les autres — et cependant, nous le sommes souvent avec nous-même en écrivant. En composant une note ou un rapport, combien d'entre nous pensent à une idée, l'inscrivent pour la barrer aussitôt ? Ou s'inquiètent de savoir si elle est intéressante, ou bien formulée et orthographiée ? Ou pire, combien d'entre nous regardent dans le vide, sans rien écrire jusqu'à ce que vienne l'idée parfaite ?

Cette critique prématurée est l'une des principales causes du blocage du rédacteur et de la désaffection pour l'écriture. C'est aussi une grande perte de temps qui coûte cher.

L'attitude du brainstorming

La solution à cette critique prématurée consiste à prendre une attitude complètement différente et à travailler à développer vos talents personnels de brainstorming. Le brainstorming est la création et l'enregistrement très rapides d'une abondance d'idées non censurées. L'attitude du brainstorming écarte provisoirement la perfection au profit de la créativité à haut rendement. On s'en méfie parfois et on la néglige souvent, surtout chez les techniciens qui ont été formés à dire ce qui convient au moment qui convient. Cependant, dans l'écriture, l'attitude perfectionniste peut faire perdre du temps. La meilleure attitude à avoir en écrivant, c'est de renoncer provisoirement au perfectionnisme. Remuez vos idées maintenant, organisez-les (et perfectionnez-les) plus tard.

LIGNES DIRECTRICES DU BRAINSTORMING

En remuant vos idées — que vous rédigiez un document, que vous prépariez un exposé ou que vous participiez à un groupe de réflexion pendant une réunion — gardez présentes à l'esprit les idées suivantes, comme partie intégrante de votre "attitude brainstorming".

- Pensez énergie !

- Écrivez aussi vite que possible !

- Commencez n'importe où !

- Libérez-vous de toute organisation !

- Acceptez toutes les idées, même les plus folles !

- Notez tout, servez-vous d'abréviations !

- Ignorez l'orthographe, la ponctuation, la structure de la phrase, etc. !

- Évitez toute auto-critique !

- Jonglez librement avec les idées !

- Écrivez jusqu'à ce que plus rien ne vienne ; reposez-vous et recommencez !

SECRET N° 22.
ESSAYEZ LE BRAINSTORMING "EN ESSAIM"

Une excellente technique pour réfléchir sur un nouveau sujet consiste à faire des diagrammes "en essaim" de vos idées. Cela ressemble au schéma que vous voyez ci-dessous et que j'ai utilisé pour réfléchir à cette page (regardez attentivement, vous y verrez en principe toutes les idées qui y figurent).

L'essaim vous permet de travailler avec les mots d'une manière non linéaire, presque picturale ; vous créez à la fois le dessin et le langage, recourant tout à la fois aux deux hémisphères de votre cerveau. La méthode est aussi très rapide et amusante. Vous pouvez l'interrompre — comme c'est non linéaire, vous pouvez facilement reprendre là où vous en étiez resté.

Comment "essaimer"
Inscrivez votre sujet dans un cercle au milieu d'une page blanche (dans notre exemple, le mot "essaimage"). A partir de ce centre, tracez des droites et des cercles tandis que vous pensez à des sujets dérivés ou des idées liées au sujet. Identifiez ces cercles comme vous voulez — peut-être par les noms des sections de votre note ou des questions de journaliste (qui, quoi, où, pourquoi, quand, comment), que j'ai moi-même utilisées dans ma réflexion (dans mon essaim, j'ai aussi ajouté un cercle intitulé "actions demandées", chapitre très utile à ajouter dans beaucoup de documents).

Lorsque vous "essaimez", travaillez très rapidement ! Dispersez-vous autant que vous voulez ! Ne vous souciez pas de la netteté ni même de l'endroit où vous allez noter telle idée. Ayez une "attitude brainstorming" !

Actions demandées
Essayez ! Regardez l'exemple, mais ne vous sentez pas obligé de le suivre. Dessinez ensuite votre propre schéma sur la page suivante. Les quelques pages à venir présentent des blancs que vous pouvez utiliser pour "brainstorming" ou même pour des "mémos en essaims" !

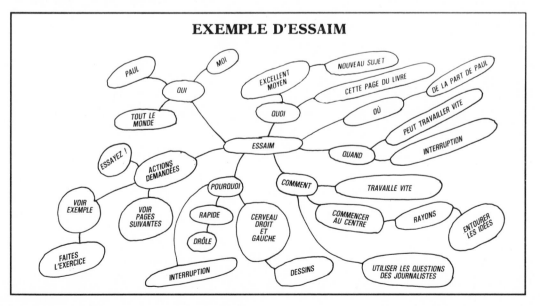

EXEMPLE D'ESSAIM

Exercice : Utiliser un brainstorming en essaim

Dans l'espace ci-dessous, "brainstormez" un diagramme en essaim concernant une note de service, un rapport ou une lettre que vous devez rédiger sans tarder. Ou bien, si aucun sujet ne vous vient à l'esprit, essayez la méthode "Que ferais-je si j'étais responsable de...", ou "Les vacances idéales sur deux semaines".

Utilisez n'importe quel rayon et forme ou progression. Beaucoup de rédacteurs trouvent que les questions des journalistes (qui, quoi, où, quand, pourquoi, comment) sont très utiles pour dessiner la première rangée de cercles à partir du sujet central.

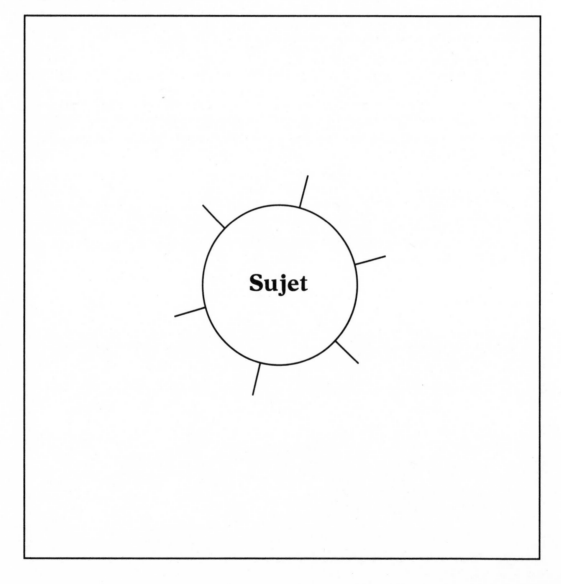

SECRET N° 23.
ESSAYEZ LES NOTES INTER-BUREAUX EN ESSAIM

Un moyen unique, efficace et très rapide d'envoyer des notes inter-bureaux consiste à utiliser le principe de brainstorming en essaim pour les compléter. J'ai envoyé et reçu ces types de mémos plusieurs fois et ils peuvent marcher aussi bien sinon mieux que la correspondance inter-service conventionnelle.

Pour rédiger une note de service en essaim, créez simplement un diagramme en essaim et envoyez-le, comme une note normale. Prenez soin d'écrire lisiblement et de clarifier le schéma de votre essaim. Rappelez-vous, ce n'est pas seulement du brainstorming, c'est de l'authentique communication. Essayez un schéma sans surprise et réutilisable comme celui ci-dessous, qui reprend les six questions classiques des journalistes et la section "actions demandées", ainsi que des sujets dérivés et l'identification traditionnelle "de la part de — à l'attention de — date".

Une technique étrange mais bien utile...
Les mémos en essaim semblent bizarres, mais ils marchent vraiment. Ils sont tout aussi clairs et instructifs que des notes de services normales, mais ils sont aussi très rapides et très faciles à écrire parce qu'ils ressemblent au brainstorming et qu'ils n'exigent même pas des phrases complètes. Et puis, recevoir des notes de service en essaim est amusant ; croyez-moi, elles sont lues et les gens attendent la suivante.

... Avec quelques limites
Attendez-vous à un peu d'interrogations de la part des gens la première fois que vous essayerez les mémos en essaim. Leur expliquer ce que vous faites et leur montrer comment ça marche les aidera probablement. Mais n'utilisez pas de notes en essaim pour une correspondance extérieure, à moins que vous soyez très sûr de vos lecteurs.

EXEMPLE DE NOTE EN ESSAIM

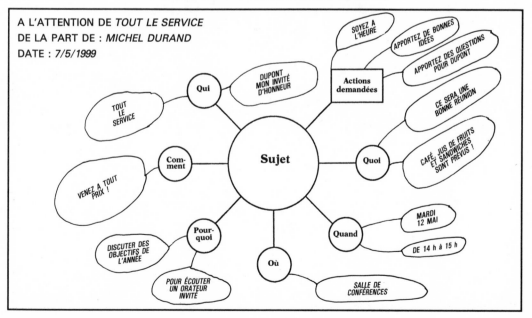

FORMULAIRE DE NOTE EN ESSAIM

Reproduisez cette page et utilisez-la comme maquette pour vos notes de service en essaim.

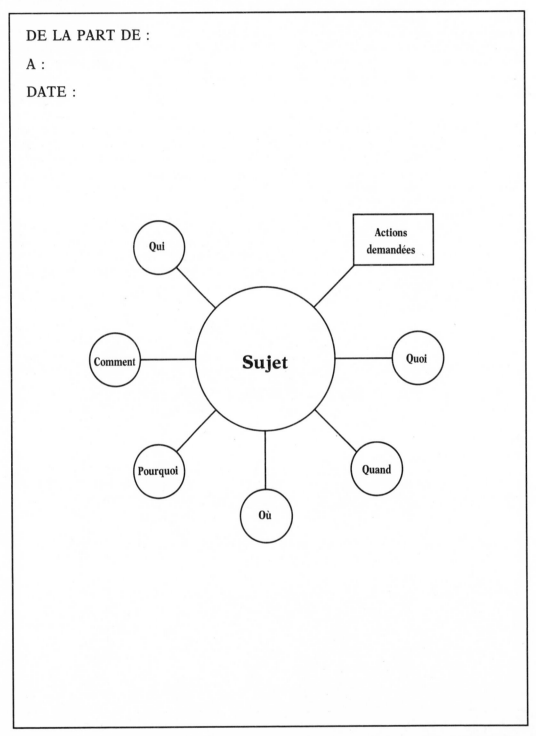

SECRET N° 24.
POUR LES LONGS RAPPORTS, UTILISEZ "LE BRANSTORMING EN SECTIONS"

Pour commencer à rédiger de longs rapports ou notes de service, divisez votre tâche en morceaux plus digestes en utilisant le "brainstorming en sections".

Comment utiliser le brainstorming en sections

1. Réfléchissez à une liste de noms de "sections" (ou de paragraphes ou de chapitres) que contiendra votre rapport. Si vous le souhaitez, prenez modèle sur des rapports antérieurs (des sections intitulées "sommaire" et "actions demandées" sont généralement une bonne idée).

2. Utilisez une feuille de papier pour chaque nom de section figurant sur votre liste.

3. Prenez ces feuilles une à une et commencez à remuer les idées qui naissent dans chacune d'elles. Adoptez une attitude "brainstorming". Servez-vous de la méthode en essaim, de listes de mots-clés (comme je l'ai fait par l'exemple sur cette page), ou tout autre type de réflexion. N'hésitez pas à passer d'une section à l'autre au fur et à mesure que les idées vous viennent.

Voici un exemple de section de réflexion pour une note de service intitulée "Recommandations pour améliorer les méthodes de rédaction". Notez que les sections ne sont pas rangées dans un ordre particulier — nous remuons seulement des idées, que nous classerons plus tard.

Coûts	Avantages	Sommaire	Actions demandées	Grandes lignes du processus
Manuels Formation initiale	Meilleure communication Moins de temps à écrire Moins de temps à lire Productivité plus élevé Moins de contrariétés Notes plus courtes Standards communs à toute l'entreprise	Voici une méthode Coûts/Bénéfices très bons Plan ci-dessous + annexes Réfléchissez et suivez les étapes	Réfléchissez Téléphonez-moi Permettez-moi Voir en annexe pour plus de détails	Fixer des objectifs Analyse du lecteur Brainstorming énergique Alignement (organisation) Transmission Révision — Parcourir des yeux — simplifier — corriger les fautes de frappe

Utilisez des paperboards pour une écriture en équipe

Pour adapter le brainstorming en sections à des projets d'écriture en équipe, utilisez les feuilles blanches d'un paperboard pour chaque section, plutôt que de simples feuilles de papier. Disposez ces feuilles autour de la pièce et laissez les membres de l'équipe passer de l'une à l'autre et inscrire dessus toutes les idées qu'ils veulent. Vous pouvez aussi distribuer à chacun de grands blocs de feuilles auto-collantes en demandant de mettre une idée par feuille, puis de coller ces feuilles sur le paperboard approprié. Il sera ensuite beaucoup plus facile de mettre au point et d'organiser les idées de l'équipe.

POUR VOUS ORGANISER

Après la phase créative, vient la phase organisationnelle. Le secret 25 vous aidera à présenter vos mémos de façon à ce que votre message soit bien reçu — même si le lecteur se contente de le parcourir rapidement.

Voici maintenant le moment crucial : poser la pointe du crayon sur le papier (ou les doigts sur le clavier). A ce stade, vous pouvez utiliser tous les moyens susceptibles de vous venir en aide. Voir le secret 26 sur "l'écriture aérobic" et le secret 27 sur le silence.

SECRET N° 25.
METTEZ CE QUI EST IMPORTANT
AU DÉBUT — ET A LA FIN

Dans les affaires, les gens ne lisent pas toujours mot à mot les notes de service et les rapports qui tombent sur leur bureau ou sur l'écran de leur ordinateur. C'est surprenant ? Non, pas vraiment.

Comme la plupart des professionnels, vous êtes probablement submergé par des informations de toutes sortes ; il est probable aussi que vous parcourez rapidement les documents qui vous arrivent pour voir dans quelle mesure ils vous concernent, ou pour décider si vous allez ou non les étudier dans le détail.

Examineriez-vous en détail l'exemple de note de service figurant sur la droite ? Une attitude normale consisterait à commencer par la section A, puis à passer à la section B et enfin, E. Une autre approche se décomposerait en A, E et B.

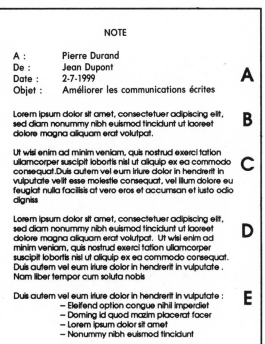

Ensuite, sur la base de l'examen de ces premières et de cette dernière section, vous vous intéresseriez ensuite aux sections C et D. Ou bien vous pourriez laisser tomber la note de service et lire quelque chose d'autre. Si vous ne lisez pas le reste de la note, vous n'êtes pas paresseux pour autant, vous êtes seulement occupé et vous traitez les priorités.

Le premier et le dernier paragraphes sont des emplacements essentiels

Les lecteurs occupés ont tendance à remarquer le début et la fin des documents. Alors, adaptez-vous à cette psychologie. Ne partez jamais du principe que l'information que vous rédigez sera lue intégralement ou dans l'ordre dans lequel elle apparaît sur la feuille de papier. Au contraire, placez les informations qui doivent être lues à ces endroits stratégiques du début et de la fin de la page et mettez les détails moins importants dans les paragraphes du milieu.

Pour profiter des habitudes de lecture des destinataires, essayez ces techniques d'organisation :

- Dans la zone "A l'attention de — De la part de — Date — Sujet", donnez des informations aussi complètes que possible.
- Placez un résumé des lignes directrices, rédigé en termes courants, en position B ou E.
- Placez les actions demandées — ce que vous voulez que fasse le lecteur — en position E ou B.
- Pour faciliter l'examen, utilisez des titres pour identifier chaque section du document.
- Utilisez une présentation, toujours la même, pour vos notes de services. Par exemple, celle de la page suivante avantage la première et la dernière position et fait gagner du temps au lecteur en lui laissant ensuite la place de vous répondre immédiatement sur votre mémo.

52

A L'ATTENTION DE :
DE LA PART DE :
DATE :
OBJET :

RÉSUMÉ :

LES DÉTAILS :

ACTIONS DEMANDÉES :

VOTRE RÉPONSE :

Vous pouvez à volonté reproduire et utiliser ce formulaire vierge pour vos notes de service.

SECRET N° 26.
PRATIQUEZ "L'ÉCRITURE AÉROBIC"

Après avoir remué vos idées et organisé votre brainstorming en lignes directrices, vous voilà prêt à étoffer les phrases et les paragraphes de votre note de service, lettre ou rapport. Même à ce stade, vous devez être encore d'humeur créative, donc travaillez vite, mais tout de même moins que lors du brainstorming. Si le brainstorming ressemble à une course de vitesse, l'écriture à laquelle vous allez maintenant procéder ressemble plutôt à du jogging ou à une marche à bonne allure — c'est pourquoi nous l'appellerons "écriture aérobic".

De la continuité avant tout

Lorsque vous faites du jogging ou des exercices dans un cours d'aérobic, vous découvrez vite que la continuité est importante. De même pour l'écriture aérobic. De la même façon que vous ne vous arrêteriez pas à mi-course pour prendre une douche et ensuite vous remettre à courir, vous n'interromprez pas votre écriture aérobic pour mettre de l'ordre dans votre langue — pas encore. Ayez confiance en vous. La bonne présentation viendra plus tard, une fois le gros effort terminé. Si vous vous arrêtez pour perfectionner votre écriture à ce stade, vous vous interromprez vous-même — l'esprit créatif reculera devant l'esprit de censure — et vous ne retrouverez pas ce flot de créativité.

Quelques techniques d'écriture aérobic

- Guidez-vous sur vos lignes directrices.
- Faites un effort conscient pour continuer et éviter la censure.
- Si vous savez que vous avez fait une faute de grammaire ou d'orthographe, ou si votre phrase est gauche, contentez-vous de l'entourer d'un cercle, laissez de la place pour une révision ultérieure et continuez. Ne corrigez rien maintenant.
- Si vous utilisez un ordinateur et si vous pouvez modifier la frappe, envisagez "l'écriture invisible" — c'est-à-dire l'écran orienté de façon à ce que vous ne le voyiez pas ou caché derrière une feuille de papier — de sorte que vous ne serez pas tenté de le regarder et de corriger trop tôt ce que vous avez écrit.
- Si vous avez un bloc de papier, essayez de disposer vos idées en essaim. Ou imaginez que vous parlez à un ami auquel vous diriez "L'idée est simple : je pense que...", puis développez votre idée. Écrivez ensuite ce que vous avez dit.

Continuez sans vous faire de soucis

Quelles que soient les techniques d'écriture aérobic que vous choisissiez, le principe le plus important est de *continuer à écrire sans vous faire de soucis*. Faites un travail d'écriture productif et laissez les corrections pour plus tard.

SECRET N° 27.
INSTITUEZ DES PÉRIODES DE TRANQUILLITÉ DANS VOTRE BUREAU POUR LA RÉDACTION DE VOS PROJETS

Rédiger des documents d'affaires, comme n'importe quelle autre activité qui exige beaucoup de concentration, est bien plus facile si vous n'êtes pas interrompu. Une minute d'interruption en cours de rédaction peut vous demander ensuite 20 minutes de récupération avant que vous soyez capable de retrouver le rythme.

Mais les bureaux modernes ne permettent pas les périodes interrompues de créativité — sauf si une règle institue des périodes spécifiques de tranquillité, c'est-à-dire des moments où les communications téléphoniques internes, les réunions et les visites sont réduites, sauf en cas d'urgence. Ces périodes n'ont pas besoin d'être très longues, disons de 9 heures 30 à 10 heures le mardi et le jeudi. Surtout si vous avez recours au brainstorming et à "l'écriture aérobic", une demi-heure sans interruption peut être extrêmement productive.

Autres suggestions pour limiter les distractions lorsque vous écrivez

Bien sûr, la règle ne concerne pas ceux qui sont en contact téléphonique avec la clientèle ou les bureaux dans lesquels elle serait difficile à observer. Voici quelques idées de remplacement pour minimiser les distractions :

1 **Arrivez de bonne heure ou partez tard.** Allez déjeuner une demi-heure plus tard que les autres. Profitez de la période relativement calme des environs de midi, ou trouvez la période de la journée où vous débordez d'énergie et tâchez alors de bloquer 30 minutes.

2 **Programmez des rendez-vous d'écriture avec vous-même.** Si quelqu'un demande à vous voir pendant le temps que vous vous êtes ménagé, dites "Je suis désolé, j'ai un rendez-vous. Quelle autre heure vous conviendrait ?"

3 **Accrochez à votre porte une pancarte du genre "Ne pas déranger jusqu'à..." ou "En conférence jusqu'à...".** Dites aux gens que lorsque votre porte est fermée vous ne voulez pas être dérangé.

4 **Installez votre espace d'écriture à l'écart de l'entrée de votre espace de travail.** Surtout si votre bureau n'a pas de porte, éloignez-vous de l'entrée de votre bureau et cela réduira les interruptions personnelles.

SECRET N° 27. (Suite)

5 **Utilisez des bruits de fond.** Dans les bureaux ouverts et bruyants, installez une radio qui marche en sourdine ou une musique de fond en continu pour effacer les conversations dérangeantes qui flottent au-dessus de vous.

6 **Rendez votre bureau moins attrayant pour les visiteurs.** Asseyez-vous devant une large fenêtre, posez des livres sur les sièges réservés aux visiteurs, ou enlevez ces sièges. Si vous utilisez de telles méthodes, faites ensuite bien attention à vous montrer particulièrement amical avec vos collègues, une fois votre travail d'écriture terminé.

7 **Faites suivre vos appels.** Ou chargez une secrétaire de les filtrer. Ou décrochez votre téléphone. C'est signe que vous êtes occupé — et vous l'êtes.

8 **Promettez de rappeler.** Si vous êtes en train d'écrire et que quelqu'un vous téléphone ou passe la tête, dites rapidement "Puis-je vous rappeler dans une quinzaine de minutes ?"

9 **Trouvez un endroit caché.** Essayez un bureau vide, une salle de conférence inoccupée ou une réserve. Ou même les toilettes, ou votre voiture dans le parking. Je connais des professionnels qui se vantent d'avoir réussi en utilisant ces deux "bureaux" bizarres !

10 **Ne soyez pas vous-même une source d'interruption.** Soyez sensible au besoin des autres de s'isoler pour écrire. Faites preuve de perspicacité et de souplesse pour équilibrer et adapter vos besoins à leur temps.

POUR RÉUSSIR

La révision est la dernière phase de production d'un document bien rédigé. C'est là que vous faites vos mises au point, coupes et que vous améliorez votre premier brouillon. Les secrets 28 à 33 vous proposent une boîte à outils pour transformer ce que vous avez écrit en un document clair, précis et agréable à lire.

SECRET N° 28.
RELISEZ-VOUS "EN GROS, EN MOYEN, EN DÉTAIL"

Beaucoup d'entre nous ont fait l'expérience d'avoir écrit une note, de l'avoir envoyée sans la relire — pour la revoir ensuite et s'écrier "Oh mon Dieu, c'est moi qui ai écrit ça ?" En d'autres termes, nous avons découvert combien il était important de  se relire. Sans une bonne relecture, vos lecteurs peuvent s'interroger sur vos compétences, sur la crédibilité de vos idées et votre capacité à fournir un bon travail dans tout domaine.

Pourquoi est-il si difficile de se relire ?

Se relire n'est pas facile, en partie parce qu'il n'est pas facile non plus d'écrire. Le langage écrit implique le choix des mots, le ton, la ponctuation, le respect de l'orthographe, l'organisation, les enchaînements, les liens, l'ambiguïté, la disposition visuelle, la concordance des temps, l'accord des pronoms, la précision, le langage technique — pour n'en citer que quelques-uns. Chacun de ces facteurs est un système élaboré de conventions linguistiques en constante évolution.

Sommes-nous censés penser à tout cela tandis que nous lisons une fois nos notes ? Impossible. C'est pourquoi nous devons diviser les relectures en morceaux plus digestes.

Pour simplifier la tâche : une relecture "En gros, en moyen, en détail"

Le meilleur moyen de relire est de le faire à plusieurs reprises, en ne recherchant que certains facteurs à chaque fois. Pour ce faire, utilisez l'approche suivante :

1. Relecture En gros. Survolez votre document en cherchant la vue d'ensemble — le contenu général et l'organisation de votre travail. Prenez du recul par rapport à votre texte : est-il facile à lire (avec une bonne marge et des espaces, des sections bien différenciées, etc.) ou ressemble-t-il à un mur de brique, avec des mots qui se suivent sans discontinuer ? Si une note paraît difficile à lire, c'est qu'elle l'est et peut-être ne sera-t-elle pas lue du tout.

2. Relecture moyenne. Ensuite, relisez rapidement pour la simplicité, la clarté et la précision. Vos lecteurs ont-ils absolument besoin de connaître tout ce que vous avez écrit ? Pouvez-vous retirer des phrases, des paragraphes ou peut-être même des sections entières ? Pouvez-vous simplifiez le langage de ce qui reste ? Vos idées sont-elles claires et bien au point ?

3. Relecture en détail. Enfin, penchez-vous sur les détails — la grammaire, l'orthographe et la ponctuation. Gardez pour la fin ce petit mais très important travail de détail. Pourquoi corriger l'orthographe d'un mot que vous allez peut-être éliminer ?

L'accent mis dans ce livre : la relecture en gros

Les niveaux moyens et petits sont ceux où vous avez toutes chances d'obtenir l'aide d'ouvrages classiques et de collègues aux yeux d'aigle. Aussi les pages suivantes sont-elles consacrées aux aspects souvent négligés — le recul — de la relecture. Mais ne négligez aucun des niveaux de la relecture. N'oubliez pas que votre crédibilité est en jeu ! Et essayez les techniques précédentes : c'est plus rapide et plus efficace que de vouloir tout voir à la fois.

SECRET N° 29.
METTEZ DES TITRES BIEN EXPLICATIFS

Imaginez que vous trouviez aujourd'hui en première page de votre journal ces seuls mots "Le Président de la République". Ou si les pages sportives titraient uniquement "Résultats de la Coupe" — et rien d'autre. "Pas très informatif", diriez-vous. "Pourquoi suis-je obligé de lire les petits caractères pour connaître l'essentiel ?"

Nous pourrions dire la même chose des intitulés de beaucoup de notes. Par exemple "Réunion de Management". Quel est l'objet de cette note ? Une suggestion pour la prochaine réunion ? Une plainte ? Une demande de reprogrammation ? Une déclaration de fond ? Vous n'en savez rien. Vous devez lire les petits caractères. D'une certaine façon, ce titre est incomplet.

Pour faire en sorte que vos notes soient plus claires, pensez : Titre = Objectif + sujet. Par exemple : "Demande d'annulation de la prochaine réunion de management". Cet intitulé est tout de suite clair, parce qu'il établit l'objet de la note (demande d'annulation), puis le sujet (de la prochaine réunion de management).

Les composants de "l'objet" d'un bon titre peuvent apparaître sous diverses formes : Mise à jour du, Recommandation à, Grandes lignes de, Prévu pour, Proposé à, etc. Les composants du "sujet" peuvent faire référence à tout ce qu'il y a sous le soleil.

En prélude à la "grande relecture", essayez de combiner objets et sujets dans vos intitulés. Cela vous aidera à concentrer davantage vos notes de service, à les rendre plus lisibles et immédiatement claires.

Intitulé incomplet	**Intitulé complet**

NOTE DE SERVICE INTÉRIEURE	NOTE DE SERVICE INTÉRIEURE
Destinée à : Jean Dupont, directeur	Destinée à : Jean Dupont, directeur
De la part de : Michel Durand	De la part de : Michel Durand
Date : 12 mai 1999	Date : 12 mai 1999
Objet : **La communication interne**	**Objet :** **Recommandations pour améliorer le processus de communication interne**

Exercice : Intitulés efficaces

Identifiez chacun des intitulés ci-dessous par un "C" pour complet (établissant à la fois l'objet et le sujet) ou par un "I" pour incomplet (établissant l'objet *ou* le sujet). Pour les intitulés marqués d'un "I", inscrivez au moins une proposition pour les compléter. Voir les réponses en bas de page.

_____ 1. Service Clients
_____

_____ 2. Résumé des chiffres de ventes régionales
_____

_____ 3. Agents dans les zones de service rural du sud-ouest
_____

_____ 4. Utilisation du fax
_____

_____ 5. Recommandations pour assister à une formation aux exposés
_____

_____ 6. Résumé de la nouvelle politique pour accélérer le recouvrement des créances
_____

_____ 7. Problèmes de travail en équipe apparus récemment
_____

_____ 8. Comptes-rendu de voyage : 11 et 12 sept. 1992
_____

_____ 9. Directives de révision des procédures d'installations téléphoniques
_____

_____ 10. Plaintes
_____

1. Incomplet : un sujet mais pas d'objet. - 2. Complet. - 3. Incomplet : ne vous laissez pas abuser par la longueur du titre, qui ne cite qu'un sujet, pas d'objet. - 4. Incomplet : sujet, mais pas d'objet. - 5. Complet. - 6. Complet. - 7. Incomplet : comme pour le n° 3, un long sujet, mais pas d'objet. - 8. Complet. - 9. Complet. - 10. Incomplet : un objet, mais pas de sujet. Une plainte à propos de quoi ?

SECRET N° 30.
AJOUTEZ DES "RESPIRATIONS" POUR APPRIVOISER LE LECTEUR

En relisant votre note, prévoyez des "respirations". Espacez les informations pour que votre texte paraisse facile à lire, afin que le lecteur puisse saisir rapidement vos idées.

"Respiration" : deux histoires vraies

Il y a quelques années, un de mes vieux amis décida de commencer une nouvelle vie. Il déménagea du jour au lendemain. Il s'installa, rédigea un curriculum vitae — en une page, remplie à ras bord de tout ce qu'il avait fait — et commença à chercher du travail. Les mois passèrent : pas de travail. Désorienté et inquiet, il réorganisa son curriculum vitae, répartissant les mêmes informations sur plus de deux pages bien aérées et plus faciles à lire. La semaine suivante, il trouvait du travail.

Que s'était-il passé ? Quelqu'un avait fini par lire son curriculum vitae.

Autre histoire : J'observais un jour un cadre en train de faire une première sélection de candidats pour le poste qu'il offrait. Il sépara les curriculum vitae en trois piles : "non", "peut-être" et "oui". Mais pour ce faire, il consacra moins de 10 secondes à examiner les curriculum vitae d'une page, jugeant ainsi à cette vitesse toute une vie professionnelle.

Ce qui est essentiel : Corrigez-vous pour apprivoiser le lecteur

La morale de ces deux histoires s'applique à tous les écrits : corrigez vos documents pour apprivoiser le lecteur et les lui rendre plus attirant. Faites en sorte que l'on trouve rapidement vos informations clés. Ajoutez des "respirations" avec :

- **De fréquents changements de paragraphe.** Utilisez même des paragraphes d'une ligne ou deux pour les idées importantes.

- **Des listes.** Les lecteurs trouvent que les listes sont plus faciles à aborder, de sorte qu'ils les recherchent presque automatiquement (notez combien vos yeux ont été attirés par cette liste). Les listes peuvent aussi condenser des documents en permettant l'usage de mots clés au lieu de phrases.

- **Élargissez les marges.** Les lecteurs trouvent que les lignes courtes sont plus faciles à lire que les longs textes bord à bord. Et des marges larges permettent au lecteur de prendre des notes.

N'oubliez pas que tous les documents que vous rédigez sont en compétition avec tous les autres documents qui tombent sur le bureau de vos lecteurs et qui empiètent sur leur temps précieux. Relisez votre travail en prenant un peu de recul et ajoutez des "respirations" pour le rendre plus attirant.

SECRET N° 31.
UTILISEZ DES TITRES POUR AIDER LE LECTEUR A COMPRENDRE ET A CHOISIR

En relisant vos documents, envisagez l'une des techniques de rédaction les plus attirantes qui soient pour le lecteur : l'emploi de titres pour marquer les différentes sections. Utilisez des titres même sur des notes d'une page et vos lecteurs en tireront les avantages suivants :

- **Un rapide tour d'horizon.** Les lecteurs peuvent examiner les idées principales.
- **Une lecture sélective.** Les lecteurs peuvent comprendre et choisir les sections du document qui les intéressent le plus et fixer ainsi leurs propres priorités.
- **Une souplesse de lecture à différents niveaux.** Le document peut attirer des lecteurs sur des questions de différents niveaux d'expertise. Les techniciens iront à la section intitulée "Données techniques", d'autres sauteront à "Analyse des coûts et des bénéfices".
- **Des "respirations".** Les titres aèrent le texte, augmentant l'intérêt du lecteur.
- **Une relecture facile.** Les titres permettent aux lecteurs de reprendre le document des semaines plus tard et de retrouver facilement ses idées principales.

Notez la différence de lecture entre la note de cette page et sa version revue et corrigée de la page suivante — qui utilise les techniques d'intitulé complet du document (titre de la note), des respirations et des titres. Lequel préféreriez-vous lire ?

EXEMPLE DE MISE EN PAGE MÉDIOCRE

NOTE DE SERVICE INTÉRIEURE

A l'attention de :   Jean Dupont, directeur
De la part de :   Michel Durand
Date :   12 mai 1999
Sujet :   Le processus d'écriture

Je recommande la mise en place du processus de rédaction suivant dans notre service. Les avantages que nous en tirerons sont nombreux et le coût total du programme est minime. Le processus comporte six étapes relativement faciles, que j'ai soulignées dans cette note. Si vous êtes d'accord avec moi, voyez les actions demandées au bas de cette page. Les avantages que nous tirerions de ce programme nous permettraient d'économiser de 0,75 à 5 unités par an et par employé ; moins de temps à écrire (le processus nous ferait gagner 30 à 50 % du temps que nous passons à écrire) ; environ 25 % de temps en moins à lire ; une meilleure communication et moins d'incompréhensions entre les employés, avec pour résultats une confiance plus grande et un meilleur moral ; une productivité accrue — plus de projets pouvant être réalisés en moins de temps ; et la diffusion des normes de la société qui permettront de créer et de juger à l'avenir des documents. Les coûts du programme impliquent seulement des livres et une formation initiale. L'investissement total par employé serait négligeable. Les étapes comprennent la fixation d'objectifs, ce qui implique de déterminer l'objectif du document ; une analyse du lecteur ; un brainstorming énergique, ou la génération rapide d'idées ; l'aménagement du travail de brainstorming en grandes lignes ; la "transmission" des grandes lignes en un texte structuré et rédigé avec des phrases complètes ; et une relecture qui comprend trois étapes : une grande relecture pour l'organisation et la présentation, une relecture moyenne pour la précision et la clarté et une relecture de détail pour la grammaire, l'orthographe et la ponctuation. Examinez cette recommandation, appelez-moi si vous avez des questions ou besoin d'informations supplémentaires et permettez-moi de mettre en place le processus dans notre service.

EXEMPLE D'UNE MEILLEURE MISE EN PAGE

NOTE DE SERVICE INTÉRIEURE

A l'attention de :   Jean Dupont, directeur
De la part de :   Michel Durand
Date :   12 mai 1999
Sujet :   Recommandation pour la mise en place d'un processus d'écriture amélioré

Résumé

Je recommande la mise en place du processus de rédaction suivant dans notre service. Les avantages que nous en tirerions sont nombreux et le coût total du programme est minime. Le processus comporte six étapes relativement faciles, que j'ai soulignées dans cette note. Si vous êtes d'accord avec moi, voyez les actions demandées au bas de cette page.

Avantages de ce processus de rédaction

Les avantages que nous tirerions de ce programme sont :
- Des économies de 0,75 à 50 unités monétaires par employé et par an.
- Moins de temps passé à écrire. Le processus nous ferait gagner 30 à 50 % de notre temps.
- Moins de temps à lire — environ moins 25 %.
- Une meilleure communication et moins d'incompréhension parmi les employés, avec pour résultats une confiance plus grande et un meilleur moral.
- Une productivité plus élevée — davantage de projets pouvant être réalisés en moins de temps.
- Modèles standards pour toute l'entreprise pour créer et juger à l'avenir des documents.

Coûts du programme

Les coûts impliqués par le programme sont uniquement des livres et une formation initiale. Investissement total : l'équivalent de 2 bons repas.

Grandes lignes du processus de rédaction

1. Fixation des objectifs : déterminer les objectifs du document.
2. Analyse du lecteur.
3. Brainstorming énergique : la génération très rapide d'idées.
4. L'aménagement du brainstorming en grandes lignes.
5. "Transmission" des grandes lignes en un texte structuré et rédigé avec des phrases complètes.
6. La relecture, qui comprend trois étapes :
   — Grande relecture pour l'organisation et la présentation
   — Relecture moyenne pour la précision et la clarté
   — Relecture de détail pour la grammaire, l'orthographe et la ponctuation.

Actions demandées

Examinez cette recommandation, appelez-moi si vous avez des questions ou besoin d'informations supplémentaires et permettez-moi de mettre en place le processus dans notre service.

SECRET N° 32.
SIMPLIFIEZ ET CLARIFIEZ VOTRE DOCUMENT

Après avoir ajouté des titres, des listes, des respirations à votre document, relisez-le encore pour simplifier et clarifier son langage. Rappelez-vous que les gens n'ont pas le temps de lire des communications longues et complexes ; la meilleure écriture est claire, simple et concise.

Quelques attitudes qui vous aideront à vous corriger

Pour rechercher la simplicité et la clarté, mettez-vous dans la tête que ce sont les mots les plus simples qui passent le mieux. Voici quelques attitudes ou moyens de penser qui vous aideront à vous corriger.

- *Évitez l'illusion du spécialiste.* Distinguez ce que les lecteurs ont vraiment besoin de savoir de ce qu'il serait bon qu'ils sachent. Éliminez les idées superflues.

- *Écrivez pour vous exprimer, non pour impressionner.* L'objectif de tout écrit professionnel ne doit pas être de faire un "show", mais d'informer. Une écriture pompeuse rebute souvent les lecteurs occupés.

- *Écrivez comme si vos lecteurs avaient 12 ans d'âge mental.* Si ce conseil vous paraît bizarre, écoutez cette citation d'Albert Einstein : "Tout doit être fait de la façon la plus simple possible, mais pas au-delà".

- *Pensez proverbe.* On se souvient des proverbes parce qu'ils sont courts et vivants. Pour rendre vos écrits intéressants, prévoyez d'écrire simplement, de façon vivante, avec des phrases dont on se souviendra, plutôt que de longues dissertations abstraites.

Quelques techniques qui vous aideront à vous corriger

- *Limitez ou éliminez les grands mots.* Faites attention aux mots de trois, quatre et cinq syllabes. Changez "Notre structure organisationnelle actuelle possède l'autonomie requise à sa capacité de fonctionnement" par "Aujourd'hui, nous avons la force nécessaire à notre autonomie". Certains mots techniques peuvent être nécessaires. Mais essayez toujours d'employer les mots les plus simples, ce sont eux qui marchent le mieux.

- *Employez des pronoms personnels.* Au lieu de "Il est recommandé de mettre en place cette procédure", écrivez "Nous recommandons que vous mettiez en place cette procédure". Les pronoms personnels peuvent simplifier les phrases, les rendre moins abstraites et plus personnelles. Ils clarifient également les questions importantes de qui fait quoi.

- *Pas trop de "il y a".* Limitez ou éliminez l'emploi inutile de "il" dans des phrases comme "il est", "il y avait", "il y aura", "il y a eu", etc. Changez "c'est vrai qu'il y avait de la colère dans la foule" par "La foule était en colère".

Pour que votre document soit aussi efficace que possible, relisez-le et attachez-vous à ce que son langage soit précis, simple et clair.

SECRET N° 32 : EXERCICE

Exercice : Le Bureau des Proverbes

Certaines administrations sont célèbres pour la complexité de leur jargon. Imaginez que l'une d'elles se lance dans la tâche douteuse de réécrire certains de nos proverbes bien connus dans un style bureaucratique. Voici, dans la colonne de gauche ci-dessous, le résultat de ses efforts.

Pouvez-vous reconnaître le proverbe original caché derrière ces montagnes de mots ? Inscrivez vos réponses dans la colonne de droite. (On vous donne la solution du premier).

Version bureaucratique du proverbe	Proverbe original
1. L'individu en position de sommeil profond paradoxal est dispensé préalablement de la nécessité de remplir sa poche gastrique.	1. *Qui dort dîne.*
2. Les monnaies frappées présentent toutes des différences fondamentales d'une face à l'autre.	2. _____
3. Un individu qui habituellement reporte l'exécution de tâches importantes ne peut pas avoir un rendement suffisant.	3. _____
4. Le continuum non spacial dans lequel des événements se produisent dans une succession apparemment irréversible partage l'équivalence virtuellement sémantique avec les produits financiers légalement reconnus et qui servent d'équivalents interchangeables avec tous les autres produits.	4. _____

Après avoir rempli la colonne de droite avec les proverbes corrects, faites cette expérience : avec votre main, cachez les quatre énoncés bureaucratiques de la colonne gauche et essayez de les répéter de mémoire.

Bien sûr, c'est impossible. Mais maintenant, fermez le livre et voyez si vous pouvez vous rappeler les proverbes originaux de la colonne droite. Il est probable que vous vous souviendrez de quelques-uns, sinon de tous.

Pourquoi se souvient-on des proverbes ? Parce qu'ils sont clairs, précis et vivants. Si vous voulez que l'on se rappelle vos écrits professionnels, conservez un langage bref et agréable, comme celui des proverbes.

2. Toute médaille à son revers. - 3. Il ne faut jamais remettre au lendemain. - 4. Le temps, c'est de l'argent.

SECRET N° 33.
COMMENT COMMENTER LES ÉCRITS DES AUTRES

Beaucoup de gens qui écrivent éprouvent des difficultés à repérer des fautes dans leurs propres écrits, même s'ils les relisent soigneusement. C'est naturel et courant — sachant que ce que vous voulez dire peut vous empêcher de voir ce que vous avez réellement écrit. C'est pourquoi les opinions des collègues peuvent souvent vous aider considérablement.

Cependant, montrer votre travail à une autre personne, ou corriger le travail de quelqu'un d'autre peut être une expérience désagréable. Il n'est pas toujours facile de donner ou de recevoir une critique franche, surtout si "critique" ressemble à "critiquer", avec une nuance négative et péjorative. Pour un processus de correction, le mot "commentaire" conviendrait mieux et quelques lignes directrices de commentaires peuvent améliorer la situation.

Lignes directrices de commentaire

Choisissez des réviseurs à votre niveau. Choisissez des réviseurs au même niveau que vous dans l'entreprise. Si vous demandez à vos supérieurs de corriger votre travail, vous ressentirez peut-être leurs commentaires comme des ordres plutôt que comme des suggestions. Si vous demandez à des subordonnés, ils ne s'exprimeront peut-être pas franchement.

Dites aux réviseurs ce qu'ils doivent chercher. Demandez à vos commentateurs d'être particulièrement attentifs à la disposition de votre document, ou à son attrait visuel, ou à sa précision, ou à des détails — tout ce que vous sentez qui pourrait être travaillé davantage. Cela facilite leur travail, au lieu de leur demander seulement "Jetez un coup d'œil là-dessus".

Soyez solidaire. En commentant le travail des autres, rappelez-vous que votre objectif est de les aider, pas seulement de trouver des fautes. Prenez votre tâche à cœur.

Exprimez-vous avec précision. Faites des commentaires vifs et clairs. Ne justifiez pas chaque commentaire, à moins que le rédacteur ne vous demande vos raisons. Et si vous recevez des commentaires, ne soyez pas sur la défensive. Écoutez simplement, sans essayer de justifier vos choix. Vous pourrez décider plus tard quels sont les commentaires à retenir.

Exprimez-vous par des compliments et des suggestions. En commentant, dites ce que vous avez aimé dans le document, puis faites des suggestions pour l'améliorer. Et ne confondez pas suggestions avec plaintes : au lieu de dire : "Je ne comprends pas ce que vous voulez dire ici" et "Cette page est trop difficile à lire", dites "Je suggère de simplifier le langage à cet endroit" et "Vous devriez laisser des marges plus larges et mettre un titre entre les paragraphes 2 et 3".

Le recours à ces lignes directrices vous aidera et aidera vos collègues à échanger des commentaires constructifs. Vous renforcerez vos relations professionnelles en utilisant le regard des autres pour rendre vos écrits plus efficaces et plus productifs.

PARTIE 3

17 Secrets pour améliorer vos discours, exposés et présentations

68

STRUCTUREZ VOS DISCOURS, EXPOSÉS ET PRÉSENTATION

Les secrets 34 à 37 vous montrent comment captiver l'attention de votre auditoire dès le début de votre discours ou de votre exposé, comment la conserver et comment quitter votre public en lui laissant un sentiment de responsabilité et d'enthousiasme. Voulez-vous connaître la recette pour disposer vos thèmes ? Voyez le secret 36.

Les secrets 38 et 39 proposent des suggestions pour affronter des discours et exposés à l'improviste et des sessions questions/réponses ("conférences de presse", secret 39).

Lecture recommandée : "Sachez Parler en Public", même collection.

SECRET N° 34.
DANS VOTRE INTRODUCTION
INSISTEZ SUR LES AVANTAGES

La première (et la dernière) impression est la plus importante. Les auditoires accordent le plus d'attention aux introductions (et aux conclusions) des exposés et discours — aussi les introductions et les conclusions doivent-elles être fortes et intéressantes.

Voici un conseil pour que l'on se souvienne de vos introductions : *Mettez en avant les avantages que l'auditoire recueillera à vous écouter.* Faites en sorte que votre discours concerne manifestement et immédiatement à ce qui le préoccupe. Imaginez que quelqu'un dans l'assistance vous interrompe et vous dise "Excusez-moi Monsieur l'Orateur, mais pourquoi devrions-nous vous écouter ? Qu'allons-nous y gagner ?" Il s'agit de répondre à cette question avant qu'on ne vous la pose.

Y répondre, mais comment ? En mentionnant des bénéfices plus élevés ou des coûts plus bas, cela marche généralement : "Dans cet exposé, il y a différentes propositions qui peuvent nous faire économiser 1 million par an — et augmenter nos bénéfices. Ou un souci : "Ce sujet nous affecte tous de la manière suivante". Ou la potentialité de résoudre un problème, ou d'augmenter la sécurité de chacun des membres de l'auditoire, la qualité de la vie, les chances d'avancement, les capacités de résultats, etc.

Pensez soigneusement aux intérêts et aux préoccupations de votre auditoire. Trouvez les moyens pour que votre exposé ou votre discours lui profite et assurez-vous qu'il sait, dès le moment où vous prenez la parole, quels sont ces avantages. Si vous voyez que votre public vous écoute avec intérêt, vous prononcerez plus facilement un discours puissant et persuasif.

Exercice : Pourquoi devraient-ils vous écouter ?

Dans la colonne de gauche ci-dessous, faites la liste des sujets d'exposés que vous avez prévu d'aborder dans un avenir proche. Dans la colonne centrale, identifiez votre auditoire pour chaque exposé. Et dans la colonne de droite, faites la liste des avantages dont l'assistance bénéficiera en vous écoutant.

Sujet	Auditoire	Avantages pour l'auditoire
_____	_____	_____
_____	_____	_____
_____	_____	_____
_____	_____	_____
_____	_____	_____

SECRET N° 35.
DONNEZ DES "DÉTAILS PRÉCIS EN RAFALE" POUR ASSEOIR VOTRE CRÉDIBILITÉ

Comment nous généralisons sur le savoir des autres

Vous vous souvenez de ce professeur de maths qui, il y a des années, a écrit quelques mots de grec et de latin au tableau ? Vous avez été impressionné et vous avez pensé "Oh, M. Dupont connaît le latin et le grec !" Ou vous rappelez-vous d'avoir regardé un golfeur réussir un long drive au premier trou et d'avoir été persuadé que c'était là un excellent golfeur ?

Nous pensons de cette manière parce que nous avons tendance à généraliser à partir d'expériences spécifiques. Nous avons tendance à supposer, à tort ou à raison, qu'au-delà de tout comportement précis, il y a un schéma général de connaissances, de talents ou de comportements identiques. Peut-être M. Dupont était-il trilingue, peut-être aussi ne l'était-il pas — et peut-être était-ce là tout ce qu'il savait du latin et du grec. Peut-être le golfeur a-t-il raté les dix-sept trous suivants. Mais parce que, dans les deux cas, nous avons assisté à des *actes ponctuels,* nous avons supposé (au moins dans le premier cas) le meilleur des connaissances et des talents des gens.

Dans les exposés : les "détails précis en rafale"

Et en ce qui concerne les exposés et discours, surtout ceux qui doivent convaincre, si vous citez des noms, des faits, des exemples, des statistiques, des histoires ou des analogies précises — sur un rythme rapide — il est probable que votre auditoire pensera que sur chaque précision que vous avez donnée, vous auriez pu en dire bien davantage. Il supposera que vos preuves à l'appui sont nombreuses et donc que ce que vous avancez a de la valeur.

Pensez "beaucoup et vite" au lieu de "peu et profond"

Beaucoup d'auditoires réagiront très bien à des précisions exposées rapidement et en nombre, plutôt qu'à quelques-unes, explorées en profondeur. Les auditeurs sont généralement impressionnés par un large éventail, une surabondance de preuves. Mais ils peuvent éventuellement demander un approfondissement. Une excellente stratégie d'exposé consiste à donner votre large panel de précisions rapides, puis à revenir en arrière et en développer certaines en détail. L'auditoire supposera alors que chacune de vos précisions pourrait être également approfondie et il ressentira l'étendue de la profondeur de votre point de vue, même si vous n'avez pas le temps de tout détailler.

Un dernier mot : Connaissez réellement l'étendue *et* la profondeur de vos preuves

La stratégie "beaucoup et vite" peut conduire à des tromperies. On peut donner quelques précisions pour tromper des auditoires profanes. Mais les meilleurs présentateurs connaissent vraiment leur matière en long, en large et en travers et ils sont toujours prêts à donner des explications complémentaires. Et l'auditoire le plus avisé sait que derrière ces preuves rapides et précises, il doit y avoir des connaissances profondes. S'il a le moindre doute sur les connaissances du présentateur, il doit demander plus de détails ou sinon il risquera d'être trompé.

SECRET N° 36.
EMPLOYEZ LA RECETTE E.P.R.P.
POUR STRUCTURER
VOTRE POINT DE VUE

Après que vous avez réfléchi aux preuves précises que vous voulez utiliser dans votre discours, vous devez présenter ces preuves de façon structurée. Pour ce faire, il y a une recette très pratique : la formule E.P.R.P. — Essentiel, Preuves, Résumé de l'essentiel et Passage au point suivant.

E = Essentiel

Pour entamer chaque partie de votre discours, établissez en 25 mots ou moins le fait que vous souhaitez exposer dans cette section. Employez une phrase-transition comme "Maintenant, le point que je vais développer est…" ou "Le troisième point de mon exposé concerne…" Cela indique clairement à votre auditoire où vous en êtes dans votre exposé.

P = Preuves

Maintenant, faites la liste des meilleures preuves, exemples, statistiques, histoires, analogies et faits précis dont vous disposez pour étayer votre point de vue. Une bonne technique consiste à amener ces preuves par une déclaration du genre "Laissez-moi vous donner quelques exemples" ou "Voici quelques statistiques qui pourront vous aider".

R = Résumé de l'essentiel

Restituez votre point de vue de façon que votre auditoire sache que vous êtes en train de passer des preuves à une déclaration générale. Vous pouvez signaler votre résumé par "Pour résumer ce que nous venons de dire…" (ne dites pas "En conclusion", à moins que vous soyez à la fin de votre discours).

P = Passage au point suivant

Conduisez votre auditoire au point que vous allez développer ensuite par une déclaration de transition telle que "Ce qui m'amène au point suivant" ou "Continuons".

Si vous structurez clairement votre discours en employant la recette E.P.R.P. — et si vous indiquez clairement où vous en êtes en utilisant des phrases de transition — l'auditoire trouvera votre discours beaucoup plus facile à comprendre.

SECRET N° 37.
CONCLUEZ AVEC OPTIMISME, DES DÉFIS ET DES PRONOMS

La conclusion est une partie particulièrement importante de tout exposé ou discours. Une conclusion idéale résume les points principaux de l'exposé et répond aussi à cette question essentielle : "Et alors ?"

La meilleure réponse à "Et alors ?" implique de transformer les idées de l'exposé ou du discours en un engagement des auditeurs. Dans certaines prestations paroxystiques, cela peut impliquer un passage spectaculaire des auditeurs à l'action. Mais même dans des exposés normaux, vous découvrirez qu'un sentiment optimiste, d'esprit d'équipe, convient à votre conclusion. Pour parvenir à cet effet de motivation, quelle que soit la portée de votre exposé ou de votre discours, expérimentez les idées suivantes dans votre conclusion :

1. **Défi, difficulté, effort.** Dites à votre auditoire que les idées que vous avez présentées ne sont peut-être pas faciles à mettre en œuvre. Mettez-les au défi de les exploiter quand même.

2. **Optimisme.** Exprimez-vous avec toute la confiance possible. Portez-vous volontaire pour relever vous-même le défi. Prédisez un succès qui soit réaliste.

3. **Le futur.** Faites tout particulièrement référence aux temps qui vont venir. Servez-vous même du mot *futur* en prédisant des jours meilleurs.

4. **Pronoms.** Personnalisez votre discours. Employez les mots *Je, Moi, Mon,* pour faire référence à votre propre engagement et votre propre implication. Dites ce que vous éprouvez. Risquez quelques révélations personnelles. Et employez le mot *"Vous"* pour vous adresser à l'auditoire — ou mieux, employez *"Nous", "Notre",* pour montrer que l'auditoire et vous-même formez une seule et même équipe.

5. **Une phrase finale d'encouragement.** Arrangez-vous pour que vos derniers mots soient "ascendants" et non "descendants". Ne terminez pas par une déclaration comme : "Regardons vers un futur meilleur et évitons les erreurs du passé". Dites plutôt : "Nous allons éviter les erreurs du passé et nous tourner vers un avenir meilleur". Laissez l'auditoire sur une impression ascendante.

Pour voir comment un orateur célèbre a introduit ces techniques de conclusion dans son discours, et afin d'avoir une idée sur la façon dont vous pourriez les utiliser pour conclure vos exposés, faites l'exercice de la page suivante.

Exercice : Analyse de conclusion

Voici la conclusion du dernier discours prononcé par Martin Luther King, la veille de son assassinat.

Pour l'analyser, découvrez les éléments de défi, d'optimisme, de futur, de pronoms personnels, de sentiments et d'élévation finale employés. Inscrivez vos commentaires dans la marge de droite.

Martin Luther King : "Nous avons des jours difficiles devant nous, mais cela n'a vraiment pas d'importance pour moi maintenant, parce que je suis allé sur la montagne et que je n'ai pas peur. Comme tout le monde, j'aimerais vivre longtemps — la longévité a sa place. Mais tout cela ne me cause plus de souci maintenant. Je veux seulement accomplir la volonté de Dieu. Et Il m'a permis d'aller au sommet de la montagne. Et j'ai regardé et j'ai vu la terre promise. Je ne vous y accompagnerai peut-être pas, mais je veux que vous sachiez ce soir qu'en tant que peuple, nous irons en terre promise. C'est pourquoi je suis heureux ce soir, je ne m'inquiète de rien et je n'ai peur de personne : mes yeux ont vu la gloire de la venue de Dieu''.

SECRET N° 38.
DANS LES DISCOURS ET EXPOSÉS IMPROVISÉS, RÉPONDEZ A TROIS QUESTIONS

L'une des plus grandes peurs de nombreux professionnels, c'est qu'on leur demande de faire un discours ou un exposé improvisé lors d'une réunion importante. Il peut être très difficile de bien improviser. Les orateurs ont peur de bafouiller, parler pour ne rien dire — ou avoir un trou total.

Je n'ai pas l'habitude de parler en public.

Un moyen simple et efficace de prendre la parole au pied levé consiste simplement à poser puis à répondre à trois questions sur le sujet qui vous est imposé. Par exemple, supposez que le patron se tourne brusquement vers Catherine au cours d'une réunion et lui dise : "Expliquez-nous je vous prie où en est notre service Ventes indirectes". Elle ne panique pas. Elle déclare "Bien, les trois questions les plus importantes que l'on peut se poser sur les Ventes indirectes sont : quel est le projet général ? Quelles sont les principales étapes de ce projet ? Quand sera-t-il atteint ?" Puis elle revient simplement en arrière et donne une réponse relativement détaillée à chaque question. Puis elle résume par "Voilà une vue d'ensemble rapide sur les Ventes indirectes".

Notez la structure de la réponse de Catherine : elle définit le sujet, pose les trois questions, revient en arrière pour répondre à chacune d'elles, puis recadre le sujet.

Catherine aurait pu aussi utiliser beaucoup d'autres questions (Qui sont les agents ? Quels sont leurs objectifs de vente ? Comment vont-ils atteindre ces objectifs ?). Ou bien, après en avoir terminé avec ses trois questions/réponses, elle aurait pu demander à l'assistance "Avez-vous d'autres questions sur la distribution indirecte ?" Ou encore, après avoir posé la première question, elle aurait pu simplement demander à l'auditoire "Avant que j'entre dans des détails qui ne vous intéressent peut-être pas, quelles sont les questions auxquelles je peux répondre ? Elle aurait pu alors suivre leurs desideratas, laissant l'auditoire déterminer la structure de son discours.

Faire un excellent exposé à l'improviste n'est pas plus difficile que de poser et de répondre à des questions.

SECRET N° 39.
ESSAYEZ LES CONFÉRENCES DE PRESSE AU LIEU DES EXPOSÉS DE ROUTINE

Si vous faites régulièrement des exposés au même groupe de gens, faites l'expérience d'une "conférence de presse" au lieu d'un exposé standard. La conférence de presse est très simple et ressemble à la stratégie de l'improvisation : faites la liste des principaux points que vous voulez aborder et prenez les questions pendant quelques minutes sur chaque sujet. C'est aussi simple que cela. Une conférence de presse se focalise uniquement sur ce que l'auditoire a vraiment besoin de savoir. Et c'est beaucoup plus facile à préparer qu'un exposé classique.

Vous pouvez aussi transformer une conférence de presse en séance de formation efficace, en suivant les étapes ci-dessous, plus élaborées :

CONFÉRENCE DE PRESSE

Objectif : Diffuser des informations depuis un présentateur vers un auditoire ; se concentrer sur les aspects de l'information que l'auditoire estime particulièrement utiles.

Durée : 20 à 35 minutes.

Matériel nécessaire : quatre ou cinq feuilles cartonnées par participant, paperboards et crayons, boîtes à chaussures (facultatif).

Comment conduire une conférence de presse :

A. Sélection de sujets et de sous-sujets. Le présentateur annonce le sujet et les sous-sujets, les inscrit sur le paperboard et, si nécessaire, les situe brièvement. Pour ce faire, le présentateur dispose d'un maximum de 90 secondes.

B. Rédaction des questions. Chaque participant note rapidement une question sur chaque sous-sujet sur une feuille cartonnée. Les questions doivent être celles auxquelles les participants aimeraient que réponde le présentateur.

C. Tri des questions et constitution des équipes. Les participants déposent leurs questions dans des boîtes portant sur une étiquette l'indication des sous-sujets. Le présentateur divise les participants en autant d'équipes qu'il y a de sous-sujets.

D. Tri des questions par équipe. Le présentateur donne à chaque équipe une boîte de questions. Les équipes disposent de quelques minutes pour revoir les questions, éliminer les répétitions et établir les priorités.

E. Questionner le présentateur. Le présentateur sélectionne la première équipe de "reporters" et les invite à poser leur première question à partir de leurs cartes. Le présentateur ne prend pas plus d'une minute pour répondre à chaque question (l'équipe qui pose la question pouvant interrompre le présentateur s'il est trop bavard ou s'il s'écarte du sujet). Les membres des autres équipes écoutent attentivement et prennent des notes sur les réponses du présentateur.

F. Résumé des autres équipes (facultatif). Après 3 à 5 minutes de questions de la part de la première équipe, toutes les autres équipes disposent d'une courte période pour revoir leurs notes sur les réponses du présentateur. La première équipe demande alors à chaque équipe de résumer brièvement les réponses du présentateur. Le présentateur contrôle la précision des résumés. La première équipe juge quelle équipe a fait le meilleur résumé.

G. Recyclage. Les étapes E et F sont répétées pour chaque sous-sujet, chaque équipe devenant à son tour reporter et juge.

AMÉLIORER VOTRE COMMUNICATION NON VERBALE

Il ne suffit pas de dire des choses importantes, il y a aussi la manière dont vous les dites. Les secrets 40 à 43 vous donnent des idées de grande valeur sur l'amélioration de vos gestes, de la "musique" de votre voix, du contact visuel et des déplacements.

Les aides visuelles sont une partie importante de nombreux exposés et discours. Les deux techniques essentielles consistent à utiliser des "visuels directifs" (secret n° 44) et à créer une coopération visuelle/verbale (secret n° 45).

Lectures recommandées : "Sachez Parler en Public" et "L'Art de la Communication", même collection.

SECRET N° 40.
EXERCEZ-VOUS A LA PANTOMIME POUR AMÉLIORER VOS GESTES

60 à 90 % du sens d'un message parlé est transmis non verbalement — par des gestes, des expressions du visage, un contact visuel, des mouvements, le choix des vêtements, les intonations de la voix, etc. Ce fait frappant indique combien les messages non-verbaux sont importants pour un exposé ou un discours dynamiques.

Contrôlez vos gestes
Examinez votre communication non verbale. Faites-vous filmer en train de parler et visionnez la cassette. Si vous trouvez que vos gestes ne sont pas convaincants, essayez cette technique inhabituelle mais très efficace : entraînez-vous à transmettre des parties de votre discours en mimant, comme si vous jouiez aux charades. Puis ajoutez les mots à vos gestes. L'augmentation du dynamisme de votre exposé peut être extraordinaire.

Occasions de mime
"Comment puis-je mimer un exposé technique ?", direz-vous. "Comment puis-je mimer la phrase 'Les taux de réussite de mon service ont augmenté' ?" — en mettant des gestes sur des mots et des phrases. "Mon" peut être mimé en joignant vos deux mains sur la poitrine. "Succès" peut être appuyé par un pouce levé et "augmenter" peut être exprimé par les deux bras tendus vers l'assistance.

Des occasions de mime apparaissent partout dans votre discours, surtout à partir de termes courants. Par exemple, vous pouvez facilement mimer les mots "vous", "nous", "penser", "sentir", "avant et après" et même "diviser le travail en sections" pendant que vous les prononcez.

Recherchez soigneusement les occasions de "jouer aux charades" pendant que vous parlez. N'ayez pas peur de vous lancer. Utilisez votre corps et vos mots pour exprimer des idées. Si vous utilisez 100 % de votre capacité d'expression, cela aura pour résultat un exposé ou un discours très dynamique.

Exercice : Utilisez la pantomime pour améliorer les gestes

Pensez à des gestes qui expriment les concepts des phrases ci-dessous. Exercez-vous à mimer chaque phrase sans mots, puis ajoutez les mots. Essayez ensuite la même technique avec quelques phrases d'un exposé que vous allez bientôt faire (les mots clés du mime sont soulignés dans la phrase n° 1).

1. Nous devons *collecter* des idées à partir de *ces trois* sources, *éliminer* les mauvaises, *fondre* les bonnes et les laisser *se développer.*

2. Tous les points indiqués sur le paperboard sont d'une importance capitale pour nous tous, et surtout pour moi.

3. Jusqu'ici, nous n'avons fait que nous combattre ou du moins ignorer les idées de l'autre. Il faut que nous commencions à travailler ensemble.

SECRET N° 41.
SERVEZ-VOUS DE LA SALLE POUR RENDRE LA STRUCTURE DE VOTRE EXPOSÉ PLUS CLAIRE

Les lecteurs peuvent généralement dire où ils en sont dans la structure d'un livre — ils ont des repères visuels comme des têtes de chapitres et des identifications de paragraphes pour les guider. Cependant, quand un public écoute des exposés ou des discours, il dépend d'autres repères — les supports visuels et les phrases de transition du présentateur.

Vos déplacements dans la salle sont un autre signal structurel subtil mais intéressant pour votre auditoire. Si vous calquez vos déplacements sur les différents sujets ou questions dérivées de votre exposé, votre auditoire aura un sentiment presque subliminal d'un discours continu organisé selon une structure clairement définie.

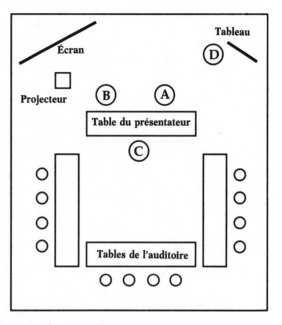

Supposez que vous faisiez un exposé dans la salle représentée ci-dessus. Et supposez que l'introduction de votre exposé comporte quatre sections : a) vous dites bonjour, vous vous présentez et indiquez le sujet de votre exposé ; b) vous résumez le contexte dans lequel se situe votre sujet ; c) vous expliquez les avantages dont l'assistance bénéficiera en vous écoutant ; et d) vous annoncez les principaux points de votre exposé en les inscrivant sur un paperboard.

Vous pouvez commencer à exposer la partie a) depuis le point A, puis vous déplacez à travers la pièce, chaque mouvement correspondant à l'exposé d'une partie de votre discours. Vous terminez au point D, à côté du paperboard, où vous avez indiqué les principaux points dont vous vouliez parler. Vous aurez ainsi subtilement signalé les changements dans la structure de votre exposé par vos déplacements dans la pièce.

Des mouvements subliminaux comme ceux-ci peuvent être utilisés tout au long de votre exposé. Voici quelques idées : 1) asseyez-vous sur un coin de table ou sur une chaise, peut-être parmi l'assistance, si vous voulez entrer en contact avec vos auditeurs ou établir des liens entre eux ; 2) revenez vers votre auditoire pendant votre conclusion, en transmettant vos dernières déclarations depuis la position C ; 3) si vous racontez une histoire, pensez à passer derrière vos auditeurs, pour faire le tour de la pièce.

Expérimentez différents déplacements, mais n'oubliez pas : ne bougez pas sans motif. Calquez vos mouvements sur les subtilités de la structure de votre discours et vous augmenterez votre propre sentiment de dynamique tout en aidant votre auditoire à en comprendre l'organisation.

SECRET N° 42.
POUR AMÉLIORER LE CONTACT VISUEL, PENSEZ "QUEL EST CELUI QUI DORT LE PLUS PROFONDÉMENT ?"

Napoléon disait : "Pour convaincre quelqu'un, il faut parler à ses yeux". Des études récentes sur les talents oratoires le confirment. Un bon contact visuel est l'un des moyens les plus puissants pour retenir l'attention d'un auditoire.

Pourquoi ? Parce que la communication non-verbale, y compris l'apparence du présentateur, est essentielle pour le message. Quand un auditoire observe l'apparence d'un présentateur, il regarde surtout son visage et ce faisant, il regarde surtout ses yeux. Ainsi, un contact visuel du présentateur est-il essentiel.

Quelques fautes courantes dans le contact visuel

Nous avons tous vu des présentateurs négliger la qualité de leur contact visuel, en passant trop de temps à lire leurs notes ou à regarder leurs supports visuels. Ils regardent au-dessus de l'assistance, ou lui jette des coups d'œil furtifs, mais ils ne la voient pas. L'auditoire interprète le contact visuel médiocre du présentateur comme un manque de confiance — en lui-même et dans ses propres idées. "S'il n'est pas sûr, pense-t-il, "nous ne le sommes pas non plus".

Posez-vous quelques questions spécifiques

La vraie raison pour laquelle vous regardez l'assistance est que vous voulez en obtenir un retour d'information. Vous voulez savoir comment elle réagit pour que vous puissiez éventuellement procéder à des ajustements. Un bon moyen de vous concentrer sur ses réactions et donc sur les visages et sur les yeux, consiste à vous poser une question précise comme "Quel est le plus endormi de tous ?" ou "Qui semble vraiment apprécier ce que je dis ?" ou encore "Qui a besoin de plus d'informations ?"

Entraînez-vous lorsque ce n'est pas vous qui parlez

Mettez en pratique cette méthode de contact visuel lorsque ce n'est pas vous qui parlez : regardez tous ceux qui vous entourent suffisamment longtemps pour découvrir qui dort ou non et jusqu'à quel point. Pensez comment vous les regardez, pendant combien de temps vous scrutez chaque visage. C'est ainsi que vous devriez observer votre auditoire lorsque vous faites des exposés.

Lorsque vous faites un exposé, essayez de regarder tout le monde. Ne négligez pas les gens dans les coins de la salle, ni ceux du premier rang. Observez-les vraiment ; essayez d'enregistrer leurs réactions. Si vous les observez avec une question précise à l'esprit comme "Quel est le plus endormi ?", vous communiquerez *avec* l'auditoire, pas seulement *vers* lui. Même si vous êtes le seul à parler, votre exposé ou votre discours deviendra un dialogue plus fort.

SECRET N° 43.
IMITEZ LA PUBLICITÉ POUR AMÉLIORER LA "MUSIQUE DE VOTRE VOIX"

Saviez-vous que lorsque vous parlez, en réalité vous chantez ? La moyenne des orateurs utilise plus d'une octave de notes, uniquement dans le discours quotidien. Vous ne le remarquez peut-être pas, parce que lorsque vous parlez, vos notes ne sont habituellement pas soutenues, comme elles le seraient si vous chantiez une chanson. Au lieu de quoi votre voix glisse rapidement sur sa "musique" — ce que techniquement, on appelle l'intonation (ou l'inflexion) de votre voix.

Plus il y a d'intonations et mieux c'est. Quelquefois, la seule différence entre un bon présentateur et un mauvais réside dans l'éventail des intonations de la voix. En fait, le mot "monotone" provient de mono-tone, une seule note. Si bien que la clé du dynamisme de votre voix se trouve dans la musicalité de vos intonations.

Testez la "musique de votre voix"

Le moyen d'écouter les intonations de votre voix sans être distrait par les mots que vous prononcez est simple : parlez la bouche fermée. Bourdonnez seulement vos phrases et tout ce que vous entendrez, ce seront vos intonations. Dites par exemple "Pensez-vous réellement que cela marchera ?", en prononçant d'abord les mots, puis, la bouche fermée, en bourdonnant seulement la phrase.

Qu'avez-vous entendu ? Une ligne droite avec une petite montée à la fin ? C'est que votre voix était ennuyeuse. Ou bien des montagnes russes musicales, qui montent et qui descendent ? Bravo ! Vous avez fait de votre voix une musique !

Les musiciens de la voix de la télévision et de la radio

Certaines des meilleures voix musicales sont celles des annonceurs radio et télévision. Ecoutez-les attentivement, surtout quand ils lisent des annonces excitantes, très vendeuses. Ne tenez pas compte de leurs mots, écoutez leur musique. Certaines sont merveilleuses : elles peuvent faire passer n'importe quel produit banal comme la clé du bonheur sur terre.

Pour développer la musique de votre voix, imitez les annonceurs. Lorsque vous êtes au volant de votre voiture ou que vous regardez la télévision, écoutez pendant cinq secondes la voix d'un annonceur, puis baissez le volume et imitez ce que vous avez entendu. Essayez de reproduire exactement le même son. Puis remontez le volume et essayez encore. Ne vous inquiétez pas si votre voix semble forcée ; rappelez-vous, vous êtes seulement en train de faire une expérience, juste en train de jouer "la musique de votre voix".

Exercice : Se construire des intonations vocales puissantes

Utilisez les déclarations suivantes pour vous entraîner à parler avec un large éventail de notes dans la musique de votre voix. Entraînez-vous à prononcer chacune d'elles avec un vrai sentiment, une réelle conviction. Entraînez-vous aussi à les bourdonner.

Pour augmenter l'énergie de votre voix, essayez de chasser l'air de vos poumons tout en parlant. Lorsque vous impliquez votre corps dans une déclaration, le dynamisme de votre voix a tendance à augmenter.

1. Je vous ai dit que je ne voulais pas y participer ! Maintenant, laissez-moi tranquille !

2. C'est une affaire que vous ne pouvez absolument pas vous permettre de laisser passer ! Tout, vraiment tout, est à moins 50 %.

3. Vous plaisantez ? Vous m'avez sauvé la vie ! Je ne pourrai jamais vous en remercier assez !

4. Nous n'allons pas abandonner ! Nous allons nous battre contre cela ! Et nous allons gagner !

SECRET N° 44.
UTILISEZ DES VISUELS DIRECTIFS POUR FOCALISER L'ATTENTION DE VOTRE AUDITOIRE

Vous arrivez à la réunion avec 15 minutes de retard ; vous ne savez même pas de quoi il va être question. Vous vous glissez sur votre siège et vous levez les yeux vers l'orateur et deux supports visuels : un paperboard comme celui qui est ci-dessous et un transparent comme celui qui se trouve ci-contre.

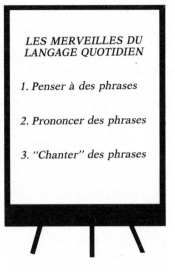

LES MERVEILLES DU LANGAGE QUOTIDIEN

1. Penser à des phrases

2. Prononcer des phrases

3. "Chanter" des phrases

Que savez-vous maintenant ? Le titre de l'exposé est "Les Merveilles du Langage Quotidien". L'exposé comprend trois parties. Nous en sommes maintenant à la 2e partie, "Prononcer des phrases" et cette 2e partie comporte elle-même trois sections. Le présentateur est en train de parler de la section B, "Articuler les sons".

Vous savez tout, sans rien avoir entendu du discours, parce que le présentateur a utilisé une technique appelée "visuels directifs et sous-directifs" : diffuser les grandes lignes du discours à deux niveaux ou plus. (Dans notre exemple, le paperboard est directif et le transparent sous-directif). Si vous utilisez cette technique, il est presque impossible que votre auditoire se sente perdu.

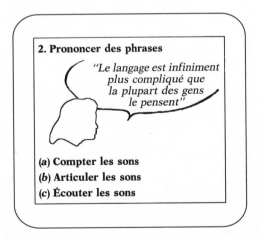

2. Prononcer des phrases

"Le langage est infiniment plus compliqué que la plupart des gens le pensent"

(a) Compter les sons
(b) Articuler les sons
(c) Écouter les sons

Voici quelques conseils pour l'emploi de cette technique :

1) Laissez votre visuel directif pendant toute la durée de votre exposé et changez les sous-directifs au fur et à mesure que vous progressez dans votre discours. — 2) Assurez-vous que les titres de vos sous-directifs traduisent bien le langage du visuel directif. — 3) Servez-vous d'un crayon comme pointeur pour vos transparents. Expérimentez la technique en utilisant deux paperboards, deux rétroprojecteurs, deux projecteurs, etc.

Si vous utilisez des visuels directifs et sous-directifs, votre auditoire saura toujours exactement où vous en êtes, même si votre information est très complexe, même si l'attention du public vagabonde et même s'il y a des retardataires.

SECRET N° 45.
CRÉEZ UNE COOPÉRATION VERBALE ET VISUELLE

L'utilisation de supports visuels peut améliorer considérablement votre crédibilité de présentateur. Plus important encore, cela peut aider l'auditoire à comprendre, parce que l'information lui parvient à la fois par des réseaux sonores et visuels.

Vos mots et vos visuels doivent coopérer l'un avec l'autre, et non rivaliser entre eux. Si vous dites une chose et diffusez quelque chose d'autre (surtout si votre visuel contient des mots), vous serez en concurrence avec vos visuels, cela irritera, troublera ou bien vous perdrez vos auditeurs. Pour vous assurer que vos mots et vos visuels coopèrent bien :

1. **Parlez de ce qu'il y a sur le visuel.** Si le visuel contient des mots, utilisez les mots exacts du visuel. Évitez la paraphrase. Si le visuel dit "La morale dans l'entreprise", ne dites pas "Parlons du moyen d'agir au mieux pendant notre travail". Dites plutôt "Discutons de la morale dans l'entreprise".

2. **Assurez-vous que ce que voit le public correspond bien à ce que vous êtes en train de dire.** Lorsque vous en avez terminé avec un visuel, retirez-le. Si vous vous servez d'un paperboard, tournez la page ; si vous utilisez un rétroprojecteur, éteignez-le.

3. **Ne diffusez le visuel qu'au moment exact où vous parlez de ce qu'il y a dessus.** Lorsque vous installez un visuel, votre auditoire le regarde immédiatement. Si vous passez ne serait-ce que cinq secondes à parler d'autre chose avant de vous retourner vers le visuel qu'il a déjà devant les yeux, vous serez en concurrence avec votre visuel pendant cinq secondes (à notre époque télévisuelle, un visuel de cinq secondes est un temps terriblement long).

4. **Gardez le public avec vous.** Les auditoires absorbent un visuel très rapidement. Si votre visuel contient des mots, ils liront tous les mots avant que vous les ayez prononcés et qu'ils les aient entendus. Pour les garder avec vous pendant que vous montrez des visuels, utilisez l'une de ces techniques :

   • Utilisez des informations partielles successives. Donnez l'information petit à petit, en vous servant d'une séquence de visuels, chacun d'entre eux développant l'information du précédent.

   • Lisez à haute voix pendant tout le visuel. Puis revenez en arrière et développez-le.

   • Gardez le silence, montrez le visuel, taisez-vous quelques secondes pendant que l'auditoire l'assimile, puis commencez la discussion.

   • Faites des révélations progressivement. Recouvrez les différentes parties du visuel, pour que seule celle dont vous êtes en train de parler soit visible. Dévoilez les nouvelles sections au fur et à mesure que vous avancez dans votre discours. (Certains auditoires peuvent trouver cette technique agaçante).

Vos discours et exposés seront plus efficaces si vos canaux d'information verbaux et visuels fonctionnent en symbiose.

POSER DES QUESTIONS ET Y RÉPONDRE

C'est souvent une bonne idée d'impliquer l'auditoire en posant des questions. Mais pas si vos questions n'obtiennent pas de réponses. Le secret n° 46 propose quelques suggestions sur la façon de poser des questions et comment obtenir des réponses.

Souvent aussi, votre auditoire vous posera des questions. Les secrets 47 à 49 vous disent comment répondre aux questions avec précision et en totalité — et comment passer une question à un collègue sans maladresse.

Mais en fin de compte, des erreurs peuvent se produire. Que faites-vous si vous vous trouvez dans cette situation embarrassante ? Pas de panique — le secret n° 50 vous explique comment vous servir de vos erreurs pour forger votre crédibilité.

SECRET N° 46.
COMPTEZ JUSQU'A CINQ
POUR MIEUX IMPLIQUER L'AUDITOIRE

Une étude récente pratiquée sur des professeurs s'est intéressée au temps qu'ils attendaient après avoir posé des questions en cours. Pendant combien de temps toléraient-ils le silence avant de le rompre eux-mêmes ? Réponse : une seconde environ.

Si leurs élèves ne répondent pas, ce n'est pas étonnant. Une seconde n'est pas un temps suffisant pour répondre, surtout si la question est

bonne. Et pourtant, la rapidité du professeur à meubler le silence est compréhensible. Comme tous ceux qui font un exposé le savent, lorsque vous êtes devant des gens, votre taux d'adrénaline augmente et votre sens du temps peut être déformé. Cinq secondes de silence peuvent ressembler à 10 minutes.

Combien durent exactement cinq secondes ?
Il est important de le savoir et de corriger cette déformation du temps. Faites cette expérience : regardez votre montre. Imaginez-vous en train de faire un exposé et de poser une question à l'assistance. Puis regardez combien durent vraiment cinq secondes. Levez les yeux maintenant : imaginez encore la scène, l'assistance, la question et comptez jusqu'à cinq très lentement. Voilà le minimum de temps que vous devriez attendre.

Attendez encore plus longtemps pour les questions difficiles
Si vous posez une question particulièrement coriace, accordez davantage de temps à votre auditoire. Vous voudrez peut-être faire baisser un peu la pression pendant qu'ils réfléchissent, alors, au lieu de les fixer, regardez au loin, mettez de l'ordre dans vos notes, remettez d'aplomb un paperboard puis revenez et dites "Eh bien, qu'en pensez-vous ?"

En plus du fait d'avoir attendu suffisamment longtemps les réponses, vous obtiendrez une meilleure implication de votre public si vous suivez ces conseils.

- **Posez des questions ouvertes.** Les questions ouvertes sont celles auxquelles on ne peut répondre par "oui" ou par "non" ou par un seul mot. Voici des exemples : "Quelle est votre opinion sur cette situation ?" ou "Quels sont les types de solutions à ce problème ?" Par contre, des questions fermées comme "Êtes-vous d'accord ?" ou "Quelle est le nombre atomique de l'uranium ?" n'inspirent pas beaucoup d'interaction dans l'assistance.

- **Posez une seule question et attendez.** Évitez d'ensevelir votre auditoire sous une multitude de questions ou de paraphrases sur le même sujet. Ne dites pas "Que devrions-nous faire ? Quelle est la réponse ? Quelle pourrait-être notre réponse ? Il y a beaucoup de choses à faire, alors par quoi devrions-nous commencer ? Quelles sont nos priorités ? Et qui peut nous aider ?" Dites plutôt "Alors que devrions-nous faire ?". Puis attendez — pendant au moins cinq secondes.

SECRET N° 47.
POUR RÉPONDRE AVEC PRÉCISION, PENSEZ "ASCENSEUR"

Les portes de l'ascenseur s'ouvrent et votre patron entre. "Bonjour, Simon", dit-il. "Quelles sont les dernières nouvelles sur le contrat avec la société Tracy ?" Vous savez que son bureau n'est qu'à deux étages au-dessus. Vous avez environ 15 secondes pour répondre. Vous dites "Le contrat Tracy se présente bien. Nous avons deux commandes probables en mars, avec une option sur une troisième. On aura la confirmation lundi. Mais je pense que ce sera oui". "Bon travail", dit le patron en sortant de l'ascenseur. "Faites-moi savoir quand vous aurez la réponse. A plus tard".

C'est ce que l'on appelle un échange réussi : une bonne question et une réponse claire et précise. Le patron de Simon, comme beaucoup de directeurs et de cadres, aime les réponses précises et apprécie ceux qui peuvent en donner. Une bonne stratégie pour répondre à des questions, surtout à celles des cadres, consiste à imaginer que vous êtes dans l'ascenseur et que vous n'avez que trois étages — environ 15 secondes ou même moins — pour répondre. Vous pouvez y arriver si vous vous concentrez : pensez résumé, pensez ligne directrice et allez droit au but.

Quelquefois bien sûr, vous avez besoin de répondre plus longuement. Mais ne confondez pas minutie avec verbiage. Ne commettez pas l'erreur de donner une réponse de 10 minutes à une question de 5 secondes, à moins que vous ne soyez absolument sûr que c'est bien ce que veut votre auditoire. Donnez des réponses brèves et claires et observez les réactions de l'assistance. Vous serez peut-être content de voir qu'elle apprécie vos réponses précises, très efficaces, "ascenseur".

Autres conseils pour répondre aux questions.

- **Segmentez les questions à tiroirs.** Si quelqu'un vous pose une question complexe en trois ou quatre parties, pas de panique. Si vous pouvez répondre à tout à la fois, allez-y. Mais une approche plus simple consiste à répondre uniquement à la première partie de la question et à dire "Et maintenant, quelle est votre seconde question ?" Prendre les questions une par une est beaucoup plus facile et aussi plus efficace.

- **Soutenez toujours celui qui pose la question.** N'abaissez jamais quelqu'un qui a posé une question, même si elle n'est pas très bonne. Cela ne peut que vous créer des ennemis. En outre, votre impatience peut s'appuyer sur la supposition risquée que vous avez clairement exposé les informations précédentes.

  Remarque importante : Les présentateurs peuvent quelquefois insulter ceux qui posent les questions, sans même s'en rendre compte, en faisant un commentaire involontairement blessant. Supposez que quelqu'un vous pose une question et que vous disiez "Eh bien, je pensais avoir déjà expliqué cela, mais je vais recommencer pour vous". Aïe !

Soyez agréable et franc avec ceux qui vous posent des questions. Et donnez des réponses claires et précises en pensant à l'ascenseur.

SECRET N° 48.
POUR DES RÉPONSES COMPLEXES, UTILISEZ LA RECETTE SUIVANTE

Certaines questions nécessitent des réponses complexes avec preuves à l'appui. Pour être particulièrement efficaces, ces réponses ont besoin d'être organisées de façon telle que les exemples et les preuves appuient une réponse claire, sans aucune ambiguïté. Quelques présentateurs bien intentionnés, surtout quand il est question de sujets techniques, commettent l'erreur de donner des preuves et des supports détaillés, *avant* de parler de l'essentiel.

Si vous donnez des preuves trop tôt, l'auditoire ne saura pas si votre preuve est bonne. S'ils ne savent pas ce que vous voulez prouver, ils ne seront pas capables de l'évaluer. Ils penseront même que vous restez dans le vague.

La recette

Pour organiser des réponses longues, essayez cette recette :

1. **Répétition de la question.** Répétez la question. Résumez la question si la question est longue. Reformulez la phrase pour être sûr que vous traitez bien du bon sujet.

   En reformulant la question, utilisez un style direct ou indirect. Le style direct retient le schéma de la question : "Vous demandez si je suis en faveur de la semaine de 4 jours et de 30 heures, n'est-ce pas ? Je pense que..." Le style indirect incorpore la question dans la première phrase de la réponse : "En ce qui concerne la question de la semaine de 4 jours et de 30 heures, je pense que..."

2. **L'essentiel de la réponse.** Faites en sorte qu'elle soit brève et agréable, en 25 mots maximum.

3. **Preuves.** Appuyez votre réponse de façon claire et rapide. Par exemple : "Laissez-moi vous dire pourquoi : la semaine de quatre jours aidera nos clients. Le moral des employés sera meilleur parce qu'ils auront plus de jours libres. Nous ferons un meilleur usage de nos terminaux informatiques. Nous ne subirons pas de perte de production. Et nous réduirons même les embouteillages dans notre parking.

4. **Résumé.** Répétez l'essentiel de la réponse et incluez l'enjeu dans un style indirect : "Pour toutes ces raisons, je crois que oui, nous devrions avoir des semaines de travail de 4 jours et de 30 heures".

5. **Attention.** Bien que vous ayez donné une réponse complexe, pensez toujours concision. Votre but doit être de répondre en moins d'une minute.

6. **Questionneur satisfait ?** Demandez à celui qui vous a interrogé "Ai-je répondu à votre question ?" S'il veut davantage, obtempérez. S'il est satisfait, continuez. Lorsque vous vérifiez auprès de vos interlocuteurs, vous pouvez donner des réponses brèves parce que l'autre peut toujours vous demander plus.

Avec cette recette, vous ne donnez à l'auditoire que les informations dont il a exactement besoin.

SECRET N° 48 : EXERCICE

Exercice : Se préparer aux questions complexes

Une excellente stratégie pour améliorer vos discours et exposés consiste à anticiper et à préparer les questions les plus difficiles que le public risque de vous poser avec la méthode précédente, pour les deux questions les plus coriaces que vous risquez de vous voir poser lors de votre prochain exposé. (Pour de meilleurs résultats, demandez à un collègue de vous aider à penser aux questions difficiles). Vous pouvez à loisir reproduire cette page pour préparer d'autres questions.

Question	Question
_____	_____
Répétition de la question	Répétition de la question
_____	_____
_____	_____
Essentiel de la réponse	Essentiel de la réponse
_____	_____
_____	_____
Preuves ou exemples	Preuves ou exemples
_____	_____
_____	_____
_____	_____
Résumé	Résumé
_____	_____
_____	_____
Estimation de la durée	Estimation de la durée
_____	_____
Questionneur satisfait	Questionneur satisfait ?
_____	_____

SECRET N° 49.
POUR PASSER UNE QUESTION, UTILISEZ LA RECETTE SUIVANTE

Avec votre collègue Georges, vous avez travaillé ensemble pour faire un important exposé à un client potentiel. Vous occupez le devant de la scène et Georges est à côté de vous, attendant de prononcer sa part de l'exposé. Un membre de l'assistance demande "Alors, que devrions-nous faire pour améliorer notre service client ?" Vous réalisez que c'est Georges qui dispose des meilleures informations dans ce domaine et vous décidez donc de lui repasser la question.

La mauvaise manière

Vous dites "Georges, pourquoi ne répondriez-vous pas ?" Georges écarquille les yeux et dit "Hein ? Euh, pourriez-vous — quelle est la question ? Désolé..." Même si Georges aurait dû faire attention, même s'il donnait l'impression de faire attention, ce n'était pas le cas. Il pensait à son propre exposé (comme nous le ferions peut-être dans la même situation). Celui qui pose la question est vexé et pense que personne ne fait attention à lui. Georges semble mal à l'aise. Et vous aussi, parce que Georges et vous faites partie de la même équipe.

Une meilleure manière : Nom/Question/Nom

Toutes les meilleures équipes de présentateurs laissent parfois vagabonder leur esprit, pour toutes sortes de raisons, bonnes ou mauvaises. Ainsi, si vous voulez transmettre une question à un membre de votre équipe, utilisez la méthode nom/question/nom. D'abord, prononcez le nom de Georges (tout le monde réagit à son nom). Puis répétez ou reformulez la question. Puis répétez le nom de Georges et laissez-le répondre.

Par exemple : "Georges, qui a travaillé avec moi sur cette question, est vraiment le plus qualifié pour résumer ce que vous pourriez faire pour améliorer votre service clients, aussi vais-je lui demander de vous répondre. Georges ?" Cela marche beaucoup mieux : vous avez attiré l'attention de Georges, transmis la question et accordé quelques précieuses secondes pour réfléchir. Il répond bien et paraît à l'aise. Vous aussi. Votre interlocuteur est satisfait et l'auditoire vous considère, vous et Georges, comme une équipe compétente, bien coordonnée.

SECRET N° 50.
SERVEZ-VOUS DES ERREURS POUR FORGER VOTRE CRÉDIBILITÉ

Le cirque baisse ses lumières. Les projecteurs se concentrent sur les acrobates. Le maître de manège annonce "Les Martin Brothers vont maintenant essayer une figure que sept personnes au monde seulement ont réussie : le triple saut périlleux croisé !" Roulements de tambours. Les acrobates s'élancent... et échouent. Le public retient son souffle. Nouvel essai... nouvel échec. Le public ne respire plus...

Mais ils réussiront la troisième fois, n'est-ce pas ? Et le lendemain soir, vous verrez la même chose, deux ratages, puis la réussite. Bien sûr, les acrobates ratent. Pourquoi ? Parce qu'ils savent que le public applaudira leur persévérance, leur courage et leur volonté, peut-être plus encore que la figure elle-même. D'une certaine façon, l'auditoire apprécie plus le professionnalisme que la perfection.

Des erreurs dans un exposé ou un discours peuvent être des occasions

Il en va de même avec les exposés ou les discours. Si vous avez fait une erreur fortuite dans votre discours — si vous ne saviez plus où vous en étiez ou si vous vous êtes trompé dans vos documents — ne vous inquiétez pas. Considérez ce moment comme l'occasion de faire preuve de professionnalisme. Corrigez la faute avec discrétion ; prenez votre temps pour savoir où vous en êtes ; reprenez le bon document, peut-être en disant calmement : "Essayons plutôt celui-ci". Puis oubliez l'incident et continuez. Vous avez seulement amélioré, et non détérioré, votre exposé.

L'auditoire n'a peut-être même pas remarqué votre erreur. Mais même alors, il se repère sur vous. Si vous paniquez, il est embarrassé. Si vous retrouvez votre calme et continuez, il pensera "Bon travail... Rien ne démonte ce présentateur".

Quelques conseils sur les erreurs et leur récupération

Ne commettez pas d'erreur volontairement. Un numéro de cirque est une chose, une communication en est une autre. Pour les exposés, faites votre préparation et donnez toujours le meilleur de vous-même. Le public ne voit pas d'un bon œil les erreurs dues à la paresse ni aux erreurs matérielles qui auraient pu être évitées.

Si vous faites une erreur, restez calme. Pensez "Rappelle-toi les acrobates" ou "C'est une opportunité". Prenez votre temps — vous en avez beaucoup — pour corriger votre erreur.

Rappelez-vous : Professionnalisme ne veut pas dire perfection. Si vous assistiez à un exposé parfait, il est probable que vous ne l'aimeriez pas. Ce serait trop froid. Le public aime les efforts de quelqu'un d'authentique, qui peut être faillible, mais qui a suffisamment confiance en lui pour corriger son erreur et continuer.

Lectures conseillées chez le même éditeur :

— **L'Art de la Communication par B. Decker - réf. 84440.7**

— **Sachez Parler en Public par S. Mandel - réf. 84745.9**

— **Animez des Réunions Efficaces par M. Haynes - réf. 84331.8**

— **Mieux Communiquer pour Mieux Réussir par Denis Boucher et Christian Doyon - réf. 84548.7**

— **L'Art de la persuasion par W. Nothstine - réf. 84443.1**

LA COLLECTION 50 MINUTES POUR RÉUSSIR

Vendue à plus de 4 000 000 d'exemplaires dans le monde, la **Collection 50 Minutes Pour Réussir** vous offre une série de livres remarquables qui sont des **méthodes de développement personnel de premier ordre.**

Chaque ouvrage traite **un sujet** spécifique de façon à la fois concise, complète et agréable en **vous apportant les clés de la réussite dans la matière concernée.**

Les principes essentiels sont expliqués clairement et simplement, les Stratégies, les Tactiques et les Techniques vous sont exposées **avec le plus grand souci d'efficacité pour que VOUS puissiez les utiliser immédiatement.**

La formation personnelle devient ainsi facile, rapide et efficace ; vous épargnez vos efforts, votre temps et votre argent, et vous apprenez en vous amusant.

Vous trouverez la liste des titres de la collection à la fin de ce livre.

Avec la Collection 50 Minutes Pour Réussir, prenez un avantage décisif pour votre avenir.

COLLECTION
50 MINUTES POUR RÉUSSIR

28	Ayez une Attitude Positive : *Un Atout Inestimable pour Gagner.*
29	L'Art de Maîtriser le Téléphone et le Temps : *Soyez plus Efficace et Communiquez Mieux.*
30	Relations Humaines : Jouez Gagnant : *Méthodes et Stratégies pour votre Réussite Professionnelle.*
31	L'Excellence pour les Secrétaires : *Méthodes et Techniques Professionnelles.*
32	La Mémoire en Affaires : Une Clé du Succès : *Méthode Pratique.*
33	Managez votre Forme et votre Santé : *Votre Investissement le Plus Précieux.*
34	Savoir Répondre au Téléphone Pour Gagner des Clients : *Les Meilleures Techniques.*
35	Sachez Parler en Public : *Comment Faire un Exposé ou un Discours Gagnant.*
36	Faites Parler de Vous Gratuitement dans les Medias : *Pour Promouvoir votre Entreprise.*
37	Dynamisez Vos Ventes par un Plan Marketing : *Les Techniques Faciles et Bon Marché.*
38	L'Art de Former une Équipe Gagnante : *Méthode Pratique pour Améliorer l'Efficacité de l'Entreprise.*
39	Sachez Évaluer les Performances : *La Méthode et les Outils pour Obtenir les Meilleurs Résultats.*
40	Savoir se Concentrer : *Le Secret des Gagnants.*
41	Être Bien dans sa Tête et Maîtriser le Stress : *Guide des Techniques.*
42	L'Épanouissement Personnel : *Comment Découvrir sa Vocation Profonde.*
43	Le Nouveau Concept du Management : L'Empowerment.
44	Comment Aider votre Enfant à Travailler le Français : *Résultats Spectaculaires Garantis.*
45	Les Techniques du Management : *Ce qu'un Cadre Doit Savoir.*
46	Un Plan pour Réussir : *Comment S'Organiser et Transformer Son Rêve en Réalité.*
47	Sachez Satisfaire les Clients Mécontents : *Stratégies et Techniques.*
48	Le Développement Personnel en 12 Étapes : *Progresser et se Tenir à la Hauteur.*
49	Maîtrisez les Changements dans l'Entreprise : *Stratégies et Tactiques Efficaces pour Gagner.*
50	50 Secrets pour Mieux Communiquer : *Les Meilleures Techniques au Quotidien.*
51	Le Nouveau Cadre : *Tests, Exercices, Etudes de Cas.*
52	Comment Rester Motivé et Positif : *Prendre du Plaisir à ce qu'on Fait.*
53	
54	
55	
56	
57	
58	
59	

Achevé d'imprimer le 24 juillet 1992
sur les presses de l'Imprimerie «La Source d'Or»
63200 Marsat
Dépôt légal 3e trimestre 1992
Imprimeur N° 4349